JN013254

セミナー・知を究める4

どのアメリカ？

―矛盾と均衡の大国―

阿川尚之著

ミネルヴァ書房

どのアメリカ？——矛盾と均衡の大国

目次

序　矛盾するアメリカ、均衡するアメリカ

They've all come to look for America

Simon & Garfunkel (Paul Simon), *America.*

驚くほど変わった国

アメリカは変わっている。変である。びっくりすることが多い。呆れることも少なくない。ときに軽佻浮薄であり、傲慢であり、品性に欠けさえする。自己中心で、勝手すぎて、始末におえない時もある。しかしちっとも反省しない。謝りもしない。特に二〇一七年一月に新しく大統領に就任したトランプは、「アメリカ第一主義」を唱えて世界中で迷惑をかけている。国内はトランプ支持派とトランプ反対派に分かれ、激しく対立する。相手が悪い、間違っていると、お互いに激しく言い合い、非難し、怒っている。アメリカは分裂しかかっているようにさえ見える。

それでいて本当のことを言うと、この迷惑で変な国アメリカが自分自身の問題にばかりかまけて世

界の問題に関与しなくなるのを、他の国は恐れている。しかもこの勝手で矛盾だらけの国が、相変わらず強い。無視できない。

さまざまな矛盾を抱えながら、アメリカは建国以来これまでに壮大な国家を築き、繁栄を実現した。現時代の先端を行く科学技術を開発し、使いこなし、ユニークかつ豊かな芸術や文化を生んできた。現実とは一見ほど遠い理想や理念を掲げつづけた。アメリカでなければリンカーンもジャズも誕生しなかったし、今から半世紀も前に月面着陸を実現しえなかった。初めての黒人大統領を選んで世界を驚かせ、その八年後に今度はトランプ大統領を担ぎ出して再び驚かせた。

アメリカに驚くのは、何も現代人だけではない。建国以来、アメリカへ渡った多くの人が、この国の人や社会に触れてびっくりし、しばしば不愉快に思い、しかし同時に素朴な人情に触れて友を作り、面白く思い、その感想を記した。ペリー来航以来多くの日本人もアメリカへ渡り、体験し、この国についいて考えた。一体アメリカとは何なのか。何がアメリカをアメリカにしているのか。アメリカ人自身がその答えを、今でも模索している。もしかするとアメリカを探しつづけるのが、アメリカ人という人たちの定義なのかもしれない。

矛盾に満ちた国

そもそもアメリカは一つでない。一つでないアメリカを簡単に理解し、単一の理論、一つの物語で説明できるはずがない。であれば、さまざまなアメリカを先入観なしに観察し、それをもとにして考える以外に、多少なりとも理解する道はないだろう。その際、この国が常に矛盾する要素から成り立っていることは、一つの観点として有効であるように思える。

アメリカは矛盾に満ちている。人種、出身地、宗教、信条などにおいて驚くほど多様であり、一見バラバラであり、差別も絶えないのに、時に強い統一性を示す。国家として一つにまとまる。ひとり一人のアメリカ人はすこぶる個人主義者であり、自分の利益ばかり求めて勝手気ままに動くのに、同時に多額の寄付を行い、ボランティア活動に熱心であり、いざという時には公共の利益のために全力をつくす。国のために戦って命を落とす。

また人種差別、女性差別、同性愛者差別、老齢者の差別、身障者の差別と、あらゆる差別を嫌い平等の実現に熱心でありながら、アメリカ人ほど競争好きな人々はいない。彼らは必死で競争し勝利を収め、自分が他の人より優れていることを証明しようと懸命に努力する。競争に勝ったぞ、成功したぞ、金をもうけたぞ、地位をえたぞ、と勝ち誇る。恋愛で勝ち、裁判で勝ち、戦争で勝ちと、勝つことが大好きだ。しかもそれを自慢する。

多くの日本人はこうした矛盾をアメリカ人の偽善ととらえる。軽薄だ、物質的だ、品がないと言って笑う。軽く見る。そういう面がないわけではない。ハリウッド製の大仰で薄っぺらい映画を見ると、確かにそう感じる。

矛盾しながら強い国

しかしバラバラだと思っていたアメリカと戦争をしたら、日本はこてんぱんに打ち負かされた。一つにまとまったアメリカ人は存外勇敢で手強かった。敗戦から四〇年ほど経って日本は経済大国になり、アメリカの産業はもうだめだ、我々に勝てないと言っていたのに、新しい産業を生み出し経済力を回復したのはアメリカが先だった。矛盾に満ちたアメリカの奥に何かがある。

いったいなぜアメリカはこんなにも矛盾だらけで変なのか。何が変わっているのか。どうして世界中の人々を呆れさせ、迷惑をかけ、驚かせ、反発を受けるのか。それでいてなぜ、憧れの対象になり、尊敬され、唸らせ、時には恐れさせるのか。トランプのようなかなり変わった大統領が誕生しても、内戦にはならず、クーデターも革命も起きないのはなぜか。どうしてアメリカから脱出しようとする人々がカナダ国境に殺到しないのか。トランプ大統領の悪口をいくら言っても、人々は自分の身の危険を心配しないのか。そもそもこの矛盾はどこから来たのか。こうした疑問についてつきつめて考えれば、アメリカの深さやしたたかさが見えてくるかもしれない。

もしかすると、アメリカは矛盾するからおもしろい。変だから強い。本気で対立して衝突するからかえって暴走しない。矛盾だらけでありながらその矛盾がなんとか均衡する仕組みになっている。そういうことなのかもしれない。

第1章　多様なアメリカ、異質なアメリカ

The Blacks, the Irish, Italians, the Germans and the Jews
They come across the water a thousand miles from home
With nothing in their bellies but the fire down below

Bruce Springsteen, *American Land*.

1　多様性との出会い

半世紀前のハワイ

高校生のとき初めてアメリカへ渡った。通っていた慶應義塾の高等学校とハワイ州ホノルルにあるプナホウ・スクールという私立高校のあいだに当時はまだ珍しい夏期交換留学プログラムがあり、一九七一年の夏に参加した。現地の家庭にホームステイをしてサマースクールへ通う。

ハワイでの六週間は私にとって特別な経験であった。すべてが新鮮ですばらしく思え、完全にアメリカにかぶれた。後年二度留学し、企業で日米通商問題を担当し、ワシントンの法律事務所で働き、大学で合衆国憲法を教え、在米日本大使館で働くという、公私にわたるアメリカとの縁のすべてが、あの夏に始まった。

ほぼ五〇年前のあの夏、初めてのアメリカで驚いたことはたくさんあったけれども、その一つが人々の多様性だった。ハワイがアメリカで典型的な場所かといえば、それは違う。現在でも日系人を筆頭にアジア系の住民が多く（三八パーセント）、白人はその次である（二五パーセント）。二つ以上の人種に属す人（二四パーセント）並びにポリネシア系の血を引く人（一〇パーセント）が続く。黒人やヒスパニックは少ない[1]。

私が初めてハワイを訪れた七〇年代以来、白人やポリネシア系の割合が顕著に増えるなど変化はあるが、依然として圧倒的多数を占める人種はない。ハワイにも差別の歴史があるのだが、一九七〇年代すでに、異なった人種の人々が少なくとも表面的には仲良く共存していた。

そのハワイで私が世話になったのは、ホノルルの高級住宅地に住み夫が専門的な仕事につく白人の二家族である。朝食を済ませた夫はコーヒーカップを片手に車に乗って、ダウンタウンへ働きに出かける。妻は子供たちをステーションワゴンに乗せ、学校へ送り届ける。表面的には似通っているものの、実際一緒に暮らすと同じ白人でも両家はずいぶん異なっていた。

最初の三週間泊めてもらったのは、ホノルル港に近いオフィス街に事務所をかまえる弁護士の一家である。ご主人（ホストファザー）のお祖父さんは、一九世紀末に船でホノルルへ寄港したときこの地が気に入って住み着いた人で、不動産の取引で成功したらしい。その後三代にわたって家族のだれかが本土の名門ロースクールで法律を勉強し、ハワイへ戻って弁護士あるいは判事として活躍してきた。ハワイの白人で三代、四代と続く家族は珍しい。

彼らは今でも存在するハワイの白人エスタブリッシュメントの一員であるが、一緒に暮らしていておやっと思うことがある。白人家庭なのに、夕食のおかずに刺身が出る。それを「スシーミ」と呼ぶ。南部テネシー州出身でテネシーなまりの強い夫人（ホストマザー）は、昼食にラーメン（ハワイではサイミーンと呼んでいた）を食べている。子供たちは食事が終わると、"I am pau"（ごちそうさま）と言ってテーブルを離れる。「パウ」というのは、「おしまい」という意味のハワイ語である。日常生活にハワイのことばやアジア系移民の影響が見られる。代々ハワイで暮らしてきて、この地の文化に染まったのだろう。

ホストファザーはきさくで親切な人で、私にいろいろなことを教えてくれた。ある日夕食のあと、居間の壁にかかる額縁に入った文書を指さした。ハワイ領土が一九五九年に州へ昇格してから九年後の一九六八年、最初の改正がなされた州憲法の公式な写しであった。自分はこの改正起草に当たった憲法会議の代表の一人なのだ、と誇らしげに語った。そしてまじめな顔をして私に言う。「いいかいナオ（私のニックネーム）、アメリカはとても多様で一見バラバラに見えるけれども、いざというときは一つになる。そして強い力を発揮する。そのことを忘れてはいけない」。

対照的に、後半の三週間世話になった家庭は、ハワイへ移り住んでまだそれほど経っていない矯正歯科医として成功した人の家族であった。ホストファザーは一九四八年のロンドン大会で銀、一九五二年のヘルシンキ大会で金、一九五六年のメルボルン大会で銀と、三度オリンピックの重量挙げでメダルを獲得した元スポーツ選手である。彼の写真が表紙をかざる雑誌「タイム」の表紙が居間に飾ってあった。白人のアメリカ人男性としては背が低いが、見るからに体ががっちりしている。

祖先はどこの国から来たのかと尋ねたら、ホストファザーが「マケドニアだ」と答えた。「アレキサンダー大王の出身地であるマケドニアが現代でも存在するとは知らなかった、びっくりした」と言うと、笑って、「現代のマケドニア人はスラブ系で、古代マケドニアの人たちとはほとんど関係がないんだ」と教えてくれた。

ホストファザーのお父さんは二〇世紀初頭に移民としてニューヨークへ海路到着し、港内のエリス島で入国審査を受けた。係官に名前を聴かれ「ゲオルギウ」と答えると、「面倒な名前だ、ジョージにしろ」といわれ、それ以来ジョージを姓としている。夫人もマケドニア系であり、シカゴで偶然知り合った。アメリカにマケドニア系の人はそれほど多くない、彼らの二人の息子がおそらく我が家で最後の生粋のマケドニア人になるだろうと、彼女は言っていた。マケドニアはユーゴスラビアの一共和国を構成する民族であったが、一九九一年に独立した。

当時ハワイはおそらくアメリカでもっとも多様な土地であった。異なる人種間の結婚も多かった。アメリカ本土で多様性が格段に高まった今でも、全米で唯一白人が過半数を占めていない州であり、同時に過半数を占める人種も民族も存在しない州である。同じプログラムに参加した友人たちの多くが、日系、中国系、韓国系、ポリネシア系などの家庭に寄宿した。世話になったプナホウ・スクールの人たちにも、ニュルンベルグの戦犯裁判で通訳をつとめたオーストリア出身のドイツ語なまりが抜けないユダヤ人の先生、フランス語を教えるフランス系の先生、アリゾナ出身でアメリカ・インディアンの血を引く先生などがいて、実にさまざまだった。

ちなみにこのプログラムを通じて数年後我が家で数週間預かった女子学生は、お母さんが韓国系、お父さんが四分の三イギリス系、四分の一ハワイ系で、祖先にカメハメハ王朝最後の国王であるリリウオカラニ女王がいると言っていた。

こうして私は高校生として訪れたハワイで、同じ白人でもずいぶん異なる背景をもつ二組の家族に世話になり、さまざまな人種の人たちと知り合い友人になった。みんな典型的なアメリカ人であり、アメリカ式の生活をしていながら、同時に人種や出身地がこんなに違う。それでいて一緒にいることが不思議ではなかった。緊張感もなかった。

プログラムの最後にひとり一人英語でスピーチをさせられた、与えられた題目が“What is an American identity?”（アメリカ人であることとは何か?）であった。私は自分のスピーチの内容を考えながら、アメリカの多様性と統一性について初めて真剣に考えた。

タクシー運転手のいろいろ

アメリカを訪れると、人々の圧倒的な多様性に驚く。白人、黒人、アジア系、ヒスパニック系などというおおまかなくくりにとどまらず、エチオピア、プンジャブ、エルサルバドル、モロッコ、アルメニア、クルド、ウイグル、ブルガリアなど、ありとあらゆる人種と民族の人がいる。宗教、信条、性的傾向、出身地、経済力、学歴、職歴、方言なども、実にさまざまである。

現在のアメリカ合衆国にあたる地域に太古から暮らしていた人たちの子孫、いわゆるネイティブ・アメリカンをふくめ、アメリカ人の祖先はみな世界中のどこかからこの国へやってきた。今でもインディアンと呼ばれる人たちは遅くとも約一万五〇〇〇年前から、ユーラシア大陸と現在のアラスカを当時つないでいたベーリング地峡を何波かに分かれて渡り、彼らの子孫はやがて南米大陸の南端にまで到達した。一方、ハワイやサモア、グアムなどに住むポリネシア系、ミクロネシア系のアメリカ人の祖先は、色々な説があるものの、おそらくは紀元前三〇〇〇年前後に現在の台湾あるいは華南を出発し、東南アジアを経て徐々に太平洋の島々へカヌーで海を渡ってやってきたのだと言われる。それぞれの島と住民に異なった歴史があり、先祖に関するユニークな物語がある。

一五世紀末以降はヨーロッパ人が大西洋を帆船で渡って新大陸に到着し、北米東岸には一七世紀初頭にイギリスの植民地が建設された。程なくアフリカ大陸から黒人が奴隷として連れてこられる。やがてこれらの植民地はアメリカ合衆国として独立し、世界中から人々が移り住んだ。特に一九世紀半ば以降は移民の数が爆発的に増え、現在も世界各地から新しい人々がやってくる。今日見られるアメリカの多様性は、こうした海を渡った人々の長い歴史の結果に他ならない。

私自身は最後にアメリカで暮らしてからすでに一五年経つけれども、今でもアメリカを訪れるたびに、珍しい国や聞いたこともない地域からやってきた人に出会ってびっくりする。一八三一年にアメリカを訪れたアレクシ・ド・トクヴィルの著書、『アメリカのデモクラシー第一巻』序文冒頭の有名な表現をもじって言えば、「合衆国に滞在中、注意を惹かれた新奇な事物の中でも、人々の多様性ほど私の目を驚かせたものはなかった」。

アメリカはこの数十年間でさらに多様化した。旅行者としてそれを実感するには、訪れた都市でタクシーに乗り運転手と話すのが一番である。

数年前の冬、米国憲法改正の歴史についていくつかのロースクールで憲法学者から話を聞くためにアメリカ東海岸を訪れた。運の悪いことに、たまたまアメリカ東部を襲った異常低温と大雪に遭遇した。列車は遅れる、運休になる。飛行機が飛ぶかどうかわからない。歩道に雪が積もって固まり、雪靴でそろりそろり歩かねばならない。バス、地下鉄など公共交通機関はあてにならず、しかたなく訪問地ではもっぱらタクシーを利用した。

厳しい天候は人を親しくさせる。「寒いねえ、ひどい天気だねえ」と声をかけて運転手との会話が始まる。アメリカのタクシー運転手には、あらゆる人種、あらゆる国の出身者がいる。地元生まれ地元育ちの人もいるけれど、どちらかといえば比較的最近アメリカへ移住した人が多い。おもしろいから必ず出身地を尋ねることにしている。運転手はいろいろなことを話してくれる。彼らのアメリカが見えてくる。

やむ気配のないひどい雪のなか、ハーバード大学がある川向こうのケンブリッジの友人宅からボストンの鉄道の駅まで送ってくれたのは、モロッコ出身のドライバーだった。「君はモロッコへ行ったことあるかい」と訊かれる。残念ながらない。ないけれども、「カサブランカ、フェズ、マラケシュなど、歴史的な町、美しい街のことを聞いている」。そう答えたら、運転手氏は急に饒舌となり、「そうだ、モロッコは美しい国だ。いつか訪れるといい。食べ物はおいしいし、歴史が古い。第一、我々には王室がある。王様のもとで国は安定している。アラブの春のあとでも、チュニジア、リビア、エジプトのような混乱はなかった」。もう一〇年もアメリカにいるというのに、なつかしそうに語りつづける。

ニューヘイヴンのホテルからイェール大学まで乗ったタクシーの運転手は、バングラデシュの人だった。「アメリカはどう?」と訊いたら、「悪くない」と言う。一所懸命働いて貯金して、最近弟と一緒に町の中心部に新聞、雑誌、飲み物などを売る小さな店を開いたそうだ。やおらハンドルを切って大学の方角へ向かう道から逸れたのでどこへ行くのかと思ったら、わざわざ自分の店の前を通って「あれだよ」と指し示す。これから頑張るんだと言って嬉しそうである。

ニューヘイヴンからワシントンまでは列車で行った。遅れに遅れて到着する。日が暮れてすっかり暗くなったユニオンステーションから友人宅まで、またタクシーに乗る。肌の黒いドライバーはアメリカの公共ラジオ放送にダイアルを合わせ、オバマ大統領に関する報道番組を熱心に聴いている。

「いつもこの番組聴いているの」。放送が一段落したので、もの静かな運転手に声をかけた。「いつもじゃあないけれど、ときどき聴いている」。公共ラジオ放送を聴く人には、通俗的な番組を嫌うインテリが多い。この人はどこから来たのだろう。尋ねたら「エチオピアだ」という答えが返ってきた。「エチオピアの岩の教会はすごいねえ。世界遺産に指定されているんだってねえ」と水を向けると、モロッコ人の運転手と同様この人もお国自慢を始めた。

「いいかい、エチオピア人はアフリカ大陸で唯一独自の宗教（古いかたちのキリスト教）、独自のアルファベットをもつ、歴史の長い民族なんだ。昨年フランスの考古学者チームが一三世紀に建造された岩窟教会を調査したのだけれど、どうやって岩盤をくりぬいてあんな教会を建立したのか、結局わからなかったって聞いたよ」。

祖先の残した巨大ななぞの建築物について、いかにも誇らしげに語る。

ワシントンには黒人のタクシードライバーが多い。黒人と言ってもいろいろなグループがある。この街は南部に位置するので、アメリカに奴隷として連れてこられたアフリカ系の人々の子孫が多い。彼らはアメリカの黒人特有のアクセントで話す。

一方、近年アフリカやカリブ海地域から移民としてやってきた黒人も大勢いる。タクシー運転手にも、ナイジェリア、ガーナ、ソマリア、ケニア、その他名前もよく知らないサハラ以南の多くのアフリカ諸国から来た人がいるし、ジャマイカやハイチなどカリブ海の島嶼国から来た人もいる。彼らはアメリカの黒人とは感じが違い、ことばもそれぞれのお国なまりがある。ハイチ出身の人々はアメリカに移っても仲間同士、フランス語と西アフリカのことばが混じったハイチ語で話す。

そのなかにあって首都ワシントンで近年特に目立つのは、エチオピア系の人々である。彼らは他の黒人とさらに感じが異なる。皆スラッと背が高く、男性はハンサム、女性は美人が多い。我々の年代は、東京オリンピックのマラソンで優勝したアベベ選手を思い出す。ワシントンにはこの国の出身者が多く、この二〇年から三〇年でタクシー運転手、ホテルのドアマン、ベルボーイ、駐車場のマネージャー、看護師など、サービス産業への進出がめざましい。仲間意識が強く、独特の文化と歴史を誇り、働きもの。アメリカ社会で着実に地位を向上させている。

ある時検査を受けに訪れた郊外の病院から地下鉄の駅まで走る連絡バスに乗り損ねた。次の約束に間に合わないと焦って顔見知りのエチオピア人の駐車場マネージャーに事情を話したら、「オーケー、だれかに送らせるよ」と言ってくれた。しばらく待つと私の前に高級車が止まった。中から彼の部下のエチオピア人が手招きする。そして私を乗せて地下鉄の駅まで送ってくれた。この病院ではヴァレ・パーキングといって、正面玄関で客から鍵をさしたまま預かった自動車を別の場所に駐め、客が戻ると取ってきてくれるサービスを提供している。何と、そうして預かった車の一台で私を送ってくれたのだ。

この数十年間、他にもさまざまなタクシー運転手に出会った。大量虐殺をおかしたポルポト政権支配下の故国から、命からがら逃げてきたカンボジア出身の運転手。ロシアでの迫害を避けてアメリカへ移住してきたばかり、空港からマンハッタンまでの道がわからず私が道案内をせねばならなかったロシア系ユダヤ人の大男の運転手。ダイヤモンドの取引で失敗して一文なしになりタクシーを運転しているという、どこまで本当のことを言っているのかわからない謎めいた白人男性。サイゴンが陥落し、親に連れられてアメリカへ逃れたベトナム人。子供たちがまじめに祖国のことばを覚えようとしないと嘆くポーランドから移住した運転手。イラン革命でシャーの政権が倒れアメリカへ亡命したイラン海軍の元提督。故郷での中国人による差別、暴力、政府の弾圧に耐えられず、当局者へ賄賂を渡してアメリカへ家族で移住した新疆ウイグル自治区出身のドライバー。そういえば一九七〇年代後半、日本出身のドライバーもいた。

2　人種、民族、性別、宗教

多様性の歴史

人種や民族構成が多様で複雑な国は世界中で珍しくない。しかし異なる人種や民族のあいだに抜きがたい偏見や対立がしばしば存在し、紛争が起こる。例えばベルギーではフランス語を話す南部ワロン地域の国民と、オランダ語に近いフラマン語を話す北部フランダース地域の国民が、長年対立してきた。カナダでもケベック州に集中しフランス語を話すフランス系の国民と、英語を話すその他の地域の国民との関係は、いろいろな問題をはらんでいる。さらに中国では漢民族が圧倒的な力と数を誇っていて、それを不満に思うチベット系やウイグル系の住民の一部は独立を求め、過激派がテロに走り、政府が弾圧する。強制的な同化が進む。最悪の場合、同じ国のなかで特定民族に対する大量虐殺さえ起こる。一九九〇年代半ばのルワンダやボスニア・ヘルツェゴビナの例は、記憶に新しい。

アメリカも例外ではない。その歴史のかなりの部分は、もともと奴隷としてアフリカから連れて来られた黒人の処遇をめぐって展開してきた。南北戦争の結果奴隷制度が廃止されたあとも黒人に対する公然とした差別はなくならず、法律上の差別がほぼ撤廃されるのはおよそ一〇〇年後の一九六〇年代に入ってからである。黒人だけではない。白人入植の過程でインディアンをはじめ多くの土着の人々が土地を奪われ伝染病で死んだ。またアメリカへあとからやってきた移民グループは、先に渡った者たちから差別を受ける。アイルランド系、イタリア系、ユダヤ系などの白人、中国系や日系などのアジア人、中南米各国からやってきたヒスパニック（ラティノ）の人々も、同様の経験をしてきた（厳密には、ヒスパニックは中南米系とイベリア半島系をふくみ、ラティノはイベリア半島系をふくまない）。

そもそもアメリカ国民の人種構成がこれほど多様化したのは、戦後の移民政策転換、特に一九六五年の移民国籍法大改正の結果である。それ以前アメリカは移民枠帰化枠の配分にあたって、西ヨーロッパ諸国出身者を優先し、東ヨーロッパ、南ヨーロッパ、アジア、アフリカ、中南米諸国の出身者には厳しい制限が課されていた。アジア系の移民が帰化を許されるようになったのも一九五〇年代に入ってからである。

公民権法の制定によって黒人その他の少数民族に対する差別をなくそうと努力しているのに、移民や帰化に関して白人を優先しつづけるのではつじつまが合わない。諸外国からも批判が集まったため移民法を改正し、移民枠は残したものの西ヨーロッパ諸国出身者の優遇は撤廃された。改正法はまた、すでにアメリカに住み着いた移民が故国から呼び寄せられる家族の人数、特別な技能をもつ移民の人数、その両方の上限を撤廃した。その結果、アジアやアフリカからの移民が大幅に増える。この法改正がなかったら、アメリカは今でも西ヨーロッパ出身の白人が圧倒的に多い国家であっただろう。

少数民族出身者の活躍

アメリカは人種的に多様なだけではない。世界中のあらゆる国からやってきた人たちとその子供たちが社会の中枢で活躍している。少数民族出身者の成功が珍しくなくなったために、アメリカの多様性がより身近に感じられる。いくら人種や民族の構成が多様であろうとも、社会的エリートが特定の人種からしか輩出しなければ多様性の効用はない。

少数民族の活躍はアメリカでも比較的新しい現象である。半世紀前のアメリカは白人エリートがまだ圧倒的な影響力を有する社会だった。もちろん当時もさまざまな人種と民族の出身者がいたけれど、社会的に高い地位に就くことは難しく珍しかった。白人であってもユダヤ人やカトリック教徒は第二次世界大戦が終わったあとでさえ、政治やビジネスの分野などメインストリームでの立身出世が難しかった時代である。カトリック教徒の大統領は建国以来今日までジョン・F・ケネディしかいないし、ユダヤ人の大統領は一人も出ていない。まして政府でも民間でも、黒人やアジア系の人々が高い地位に就くことはまずなかった。

しかし依然として数は少ないものの、あるいはまだ少ないがゆえに、現在では社会的エリートのなかで少数民族の出身者が目立つようになっている。例えば三権の一つを構成する合衆国最高裁判所判事とその候補である。一九八一年九月まで最高裁判事九人はすべて男性であり、そのうち八人が白人で、一人が史上初めての黒人判事であった。二〇二〇年一二月現在の最高裁は、男性が六人、女性が三人、そのうち黒人が一人、ユダヤ人が二人、プエルトリコ系が一人、その他白人が五人と、ずっと多様になっている。しかも現職判事のうち七人がカトリック（うち一人は現在聖公会の教会で礼拝）、二人がユダヤ教徒であるのは、新教徒の伝統が強いアメリカでは珍しい。ただし九人の判事のうち四人がハーバード大学、四人がイェール大学、残る一人が卒業生から初の最高裁判事が誕生したノートルダム大学のロースクール出身というのは、多様性からほど遠い。最高裁は極端なエリート社会なのである。

将来の最高裁判事候補と目される優秀な法曹人も、きわめて多様である。二〇一六年の大統領選挙でクリントンの候補として名前が挙がった人物のなかには、例えば南インドで生まれ若いころアメリカに移住し、スタンフォード大学学部とロースクールを優秀な成績で卒業。オコナー最高裁判事の助手をつとめたあと、名門法律事務所そしてブッシュ政権とオバマ政権の司法省で働き、満場一致で上院の承認を得て二〇一三年にオバマ大統領によってコロンビア特別区連邦控訴裁判所判事に任命された男性。

南ベトナム軍人の父をもちサイゴン陥落とともにベトナムを脱出、アメリカへ渡って家族でドーナッツ店を経営。カリフォルニア大学ロサンゼルス校のロースクールを出て、カリフォルニア州で連邦検事として活躍。ベトナム系として初めて連邦地区裁判所判事に任命され、アジア系で初めて連邦控訴裁判所判事に任命された女性。

あるいはメキシコ生まれで、ハーバード大学学部とイェール大学ロースクールを卒業。スタンフォード大学で政治学博士号を獲得し同大学ロースクールで教え、クリントン政権とオバマ政権（ホワイトハウス）で働き、カリフォルニア州最高裁判事に任命された男性などがいる。

その他にも父親が台湾民進党の有力者であり、イェール大学ロースクールを卒業したカリフォルニア州最高裁判事。ハーバード大学学部とロースクールを卒業し、連邦地区裁判所判事に任命された韓国系アメリカ人の女性。ハーバード大学学部を首席で卒業し、同ロースクールもほぼ首席で卒業した黒人女性など、優秀でユニークな経歴の少数派出身者がいた。

彼らは四〇代半ばから五〇代前半と、総じてまだ若い。将来民主党大統領が出現すれば再び有力な候補として取りざたされるだろう。

一方、トランプ大統領がこれまで最高裁判事候補として挙げた人物には、少数民族出身者が比較的少ない。それでもヴェネズエラ生まれ、インド系、アフリカ系の候補がいる。一方出身ロースクールはノートルダム、ジョージタウン、ミシガン、デュークなど、ハーバード、イェールに限らず比較的多様である。

司法の分野では何よりも、法律家としての能力が高くなければつとまらない。特に最高裁判事として満足な仕事をするためには抜きん出た頭脳が必要であり、人種はあまり関係ない。連邦最高裁判事八人の出身ロースクールがハーバードとイェールに限られており、そのうち七人が連邦控訴裁判事出身（残る一人も司法省訴訟長官、ハーバード・ロースクールのディーン（長）を歴任）であるのには、理由がある。ずば抜けて優秀な少数民族出身者であれば十分チャンスがある。むしろ政治的には有利に働くだろう。

一方、司法など専門的知見がものを言う分野とは対照的に、能力だけでなく血縁、地縁、資金力がものを言う政治の世界で少数派出身者は不利だと思われる。二〇〇九年に米国史上初の黒人大統領に就任したバラク・オバマは、黒人の多くでさえ当選するとは夢にも思っていなかった。それでもオバマに続く人物が、これから出てくるだろう。

トランプ政権の誕生後、マイノリティ、特にヒスパニック系やアフリカ系のアメリカ人が政治や法曹の分野で影響力を拡大するスピードは一時的に落ちたかもしれない。しかしこの政権のもとでも全米各地で少数派アメリカ人の存在感は十分保たれている。現大統領の夫人が旧ユーゴスラビアの一部であったスロベニア共和国出身であることを、我々は忘れがちである。

この人も日系人？

人種や民族の多様性は今日のアメリカの一大特徴であるが、実は近年さらなる大きな変化が起こりつつある。それは日系、中国系、インド系、アフリカ系というふうに、特定の人種や民族に分類し切れない人が着実に増えていることである。

多人種多民族国家と言われるアメリカは総人口が現在約三億二八〇〇万人で、これは世界第三位である。合衆国統計局による二〇一九年の推計によれば、そのうち白人が七六・三パーセント、アフリカ系が一三・四パーセント、アジア系が五・九パーセント。この三人種で人口の約九六パーセントを占める。[2]

ただし、人種の定義はあいまいである。例えば白人はヨーロッパ系が中心であるものの、イラン人、アルメニア人、アラブ人などの中東系・北アフリカ系も入る。一部ヒスパニックも入っている。憲法の規定に従って、一〇年に一度の国勢調査が自己申告に基づいて行われるためである。

統計局は調査を行うにあたり、人種を白人、黒人あるいはアフリカ系、アジア系、アラスカ原住民とアメリカ・インディアン系、ハワイの原住民と太平洋諸島系の五つに分けている。どれに属するかの選択は回答者の判断に任される。

また統計局はヒスパニックとラティノを人種ではなく民族上の分類とみなし、その数を別途発表している。二〇一九年の推定によれば、ヒスパニック・ラティノは一八・五パーセントを占め、アメリカ最大の少数民族である。[3]

一方二〇〇〇年の国勢調査で初めて、二つ以上の人種に属するという回答の選択肢が与えられた。歴史的には複数の人種に属すると公言する人は少なかった。特に黒人の血がまざった人はその事実を隠し、白人として生活していた。知られると差別される恐れがあった。白人コミュニティからの追放もありえた。私が学んだジョージタウン大学に、ヒーリー・ビルディングという古い建物がある。ヒーリー神父という南北戦争後の学長の名前をつけたものだが、この人には四分の一黒人の血が流れていた。しかし本人も大学もそのことを明かさず、ずっと白人だと言い通した。写真で見ると確かに浅黒い肌をしている。ところが今日では自らが複数の人種の血を引くことを隠さず、むしろ単一の人種にくくられるのを嫌う人が増えている。

統計上の分類はともかく、特定の人種に属するとは言い切れない新しいアメリカ人が増えていることは、この国を訪れる時の実感でもある。その典型的な例が日系アメリカ人であろう。彼らは一九世紀後半から二〇世紀の初頭にかけてハワイやカリフォルニアへ渡った日本人の子孫であり、戦前は差別を受け、太平洋戦争中は内陸のキャンプへ強制収容された。しかし戦後の活躍はめざましく、総人口に占める割合は小さいものの各分野で指導的な立場にある人が多い。あらゆる少数民族のなかでアメリカへの同化がもっとも進んでいるグループだと言われる。他のアジア系アメリカ人同様、他人種と結婚する率も高い。まったく白人にしか見えない若い日系人も多い。

人種、民族が多様なアメリカでは、複数の人種を祖先にもつことが昔から珍しくない。ヨーロッパ系の白人でも、純粋のドイツ系、アイルランド系などという人は珍しい。異人種間の男女関係に比較的寛容なフランス人が築いた都市ニューオーリンズを訪れれば、多くの白人に黒人の血が混じっているのが見てわかる。チェロキー族が東部から強制的に移住させられたオクラホマ州では、白人のなかにチェロキー族の血が流れる人が多い。ただ自分が複数の人種や民族に属していることを誇りに思い、それこそが新しいアメリカ人の象徴だと考える若い世代の増加は、最近の新しい傾向であろう。

男と女

アメリカの多様性は、人種や民族、出身地の別だけではない。他にもいろいろな種類の多様性がある。

第一に、人間には性別がある。他の動物と同様、体の構造が雌雄で違う。ただし現代の主要国では、職業や社会的役割において男女を差別しないという共通の原則がある。その結果、従来男の仕事だと思われてきた分野でも多くの女性が見られるようになり、同時にこれまで圧倒的に女性が多かった職場へ男性が進出しはじめた。この現象はやや出遅れた日本をふくめ世界中で見られ、アメリカ独自のものではない。しかし他の分野と同様アメリカでは多くの実験的な取り組みがなされ、それゆえの問題や紛争も多い。

実は長いあいだアメリカは、女性の社会的地位と役割について存外伝統的な価値観を重んじる国であった。女性投票権が全国的に認められたのは一九二〇年の憲法修正第一九条制定によるものであり、南北戦争後に黒人男性が投票権を獲得してから約五〇年経っていた。その後も社会進出はなかなか進まず、女性の役割はもっぱら子供を生み、育て、家庭を守ることだという観念が、特に南部で長く支配的であった。

女性の権利拡大運動や一連の最高裁判決により、職場における男女間の格差が徐々に解消されはじめたのは、一九七〇年代に入ってからである。女性の権利拡大のためにロイヤーとして最高裁で口頭弁論を繰り返し行い、数々の勝利を収めたルース・ベーダー・ギンズバーグは、一九九三年、クリントン大統領によって史上二人目の女性連邦最高裁判事に任命された。同判事は二〇二〇年九月に亡くなり、上院の同意を得てトランプ大統領が保守派のエイミー・バレット連邦控訴裁判事を同年一〇月後任に任命した。

アメリカで女性の進出がとりわけ目立つのが法曹の分野である。一九五〇年代、六〇年代には女性のロースクール進学自体が珍しく、一クラスに数人しか女子学生がいなかった。それから約六〇年後アメリカ法曹協会が二〇一九年に公表じた統計によれば、ロースクールの学生のうち五四パーセントが女性であり、四六パーセントが男性である[4]。それにともなって優秀な女性ロイヤーの層が年々厚くなっている。

近年もっとも劇的な女性進出が見られたのは軍隊だろう。独立戦争、南北戦争の昔からアメリカの女性は戦時大いに働いたが、それはもっぱら銃後の貢献であった。第一次世界大戦にアメリカが参戦すると、戦場へかり出された男性に代わって女性が軍需工場の工員など、それまで男の仕事だと思われていた仕事を引き受け立派にやり遂げる。一九二〇年に女性参政権が憲法修正によって認められた背景には、この事実があるという。第二次世界大戦ではさらに多くの女性が軍人として働くようになったものの、看護師や事務職、広報、情報分析、暗号解読など、特定の分野に限られていた。

戦後、軍隊における女性の職域は徐々に広がる。一九七六年女性の軍士官学校入学が初めて許された。それから四〇年経って、今や軍人としての経験を積んだ三軍の士官学校ならびに一般大学の女性卒業生が士官としての責任を果たし、女性パイロットや女性の艦艇乗組員、艦長が多数存在する。将官に昇進する女性も多く、二〇〇八年に最初の女性陸軍大将、二〇一二年に最初の女性空軍大将、二〇一四年には最初の女性海軍大将（黒人）が登場した。二〇一五年までにほぼすべての戦闘任務が女性に開放され、女性の戦闘機パイロット、戦闘艦の女性艦長が当たり前になった。長いあいだ閉ざされていた潜水艦乗りの道も二〇一一年に開放され、二〇一二年以来、潜水艦に乗り組む女性士官と下士官、水兵が徐々に増えつつある。[5]

愛しあう同性者たち

性に関係するもう一つの多様性が性的傾向の違い、とりわけ同性愛である。人間も動物である以上、男女が生殖行為を行って子孫を残す。だから大方の人は異性に惹かれる。しかし古代から異性よりも同性に惹かれる人がいて、記録に残されている。

多くの社会で同性愛者は迫害されたり差別されたり、特殊な扱いを受けてきた。特にキリスト教は同性愛を神の教えに反する行為とみなすため、その影響が強いアメリカでは多くの同性愛者が比較的近年までその事実を隠して暮らしていた。社会的地位を保つために、同性愛者であることを秘したまま結婚する男性も多かった。

ヨーロッパの一部の国や隣国カナダと比べて、アメリカは同性愛に関して長く保守的であった。同性愛がよりおおっぴらに語られ行われるようになったのは、一九七〇年代後半から八〇年代前半だろう。その背景には、既成の権威や秩序に反発するベトナム戦争以後の風潮があった。英語では同性愛者であるのを隠している男性を"closet gay"つまり「押し入れのなかの同性愛者」と呼び、同性愛者であることを公にするのを"coming out of the closet"「押し入れから外へ出る」という言い方をする。この「カミングアウト」が一気に増えた。彼らはゲイに対する不当な差別に抗議し、同性愛の合法化を求め、憲法上も彼らの基本的権利（ゲイ・ライト）として認めるように主張する運動を活発に行う。こうしたゲイ・ライトの運動家を、ゲイ・アクティビストと呼んだ。

しかしアメリカは広い。ゲイのカップルが街中で公然と愛情を表現するニューヨークやサンフランシスコは、典型的なアメリカの都市ではない。他の多くの地域では一九八〇年代、同性愛者がまだまだ白い目で見られていた。特にキリスト教の影響が強い南部では、同性愛は依然として罪深い行いと考えられ、多くの州に同性間の性行為を犯罪として処罰する法律が残っていた。そのうえ八一年、初めて同性愛者のエイズ（後天性免疫不全症候群）患者が発見される。治療法もなく患者が死んでいくのを見て多くのキリスト教徒が同性愛の非道徳性、罪悪性を裏づけるものと信じ、同性愛者に対する差別が続いた。

同性愛を好ましくない性行動と考える人の数は、八〇年代末まで国民の過半数を占めていた。ギャラップ調査の結果を見ると、一九八七年に同性愛を合法化すべきだとする意見は三二パーセント、すべきでないという意見が五七パーセントであった。[6] 黒人や女性に対する国民の態度と比較して、同性愛と同性愛者を否定的に受け止める考え方はなかなか変化しなかった。合衆国最高裁判所は一九八六年のバワーズ事件判決で、同性間の性行為を禁止するジョージア州法を合憲と判断している[7]。

ところが一九九〇年代に入って国民の態度が変化しはじめる。一九九三年に同性愛の合法化賛成と反対の比率が初めて逆転し、二〇〇〇年代に入ると賛成が過半数に達した。二〇〇四年に再び賛成が過半数を割り一時逆転したものの、その後は順調に増加する。二〇二〇年には賛成が七二パーセント（史上最高の前年から一パーセント減）、反対が二四パーセント（史上最低）であった[8]。わずか三〇年で合法化賛成が約四〇パーセントも増えた。

これほど急速に合法化への支持が増えた理由についてはさまざまな研究があるけれども、よくわからない。ただカミングアウトする同性愛者が増えたために、同性愛者が職場の同僚であり家族の一員であるのに慣れた。同性愛についてどう考えるかはひとり一人の信仰や価値観によって異なるが、少なくとも日常の現象としてはごく当たり前になった。そのことと関係していると言われる。

こうした同性愛と同性愛者に対する世の中の受け止め方の変化とともに、ゲイ・ライトの運動家は単に同性愛の合法化、同性愛者への差別撤廃に止まらず、制度的な保護を求めはじめる。特に同性愛者同士の結婚、すなわち同性婚の憲法上の権利化と制度化をめざした。またこうした待遇を単に男女の同性愛者（ゲイとレスビアン）だけでなく、両性愛者（バイセクシュアル）、性同一性不一致者（自分の肉体的性別と願望する性別が一致しない人、トランスジェンダー）など、一般にＬＧＢＴと呼ばれるさまざまな性的傾向を有する人にまで拡げるように求めた。こうなるとややこしくてすぐには理解できないが、人類を男と女に分けるだけではは み出してしまう人たちに社会がどう対処するか、どのような法的制度的保護をどこまで与えるかどうかについて、活発な議論が続く。

ゲイ・アクティビストはこうした運動目的を実現するために、州と連邦の議会にLGBTを保護する法律の制定を働きかけた。またLGBTを差別する州法や連邦法を無効にする判断を求め、州や連邦の裁判所へ訴訟を提起した。その結果は多岐にわたり複雑であるけれども、合衆国最高裁は二〇〇三年、バワーズ事件判決をくつがえし同性愛行為は憲法上守られるべき基本的権利であり、それを禁じる州法は違憲無効だというローレンス事件判決を五対四で下した。[9] さらに二〇一五年には同性婚も憲法上の基本的権利であり、それを禁じる州法も違憲無効であるというオーバーゲフェル事件判決を同じく五対四で下した。[10] これまでの同性愛に関する考え方を憲法上大きく変更する、画期的な判決である。

ただし両方の判決とも九人の判事のうち四人が反対票を投じており、これは同性愛、同性婚の憲法上の地位に関する現在の最高裁の考え方がほぼ半々で割れているのを示すものである。法廷意見を両方の判決で著したケネディ判事が辞任し保守派の判事が就任した今、同性愛や同性婚さらにはLGBTに関する訴訟で最高裁が今後どのような判断を示すか、注目されている。

ちなみに同性婚に対する世論は、同性愛よりもさらに急速に変化している。同じギャラップ調査によれば、同性婚を異性婚と同じく正当な結婚として合法化すべきだと考える人は、一九九六年に二七パーセント、合法化すべきでないと考える人が六八パーセントであった。二〇一一年に初めて賛成派が反対派と五〇対五〇で拮抗し、二〇二〇年には合法化賛成が六七パーセント、反対が三一パーセントになっている[11]。同性愛よりも一〇年短い二〇年で賛成派が約四〇パーセント増加し、賛成と反対の比率がほぼ逆転した。

いったい、同性愛、同性婚に関する制定法や憲法上の新しい解釈がアメリカ国民の見方を変えたのか。あるいは同性愛、同性婚に関する社会の見方の変化が制定法や憲法の解釈を変えたのか。はっきりしない。いずれにしても今日のアメリカで同性婚がこれほど早く憲法上の権利として認められるとは、ほとんどの人が予想していなかった。同性婚を基本的人権として認める判決に関してはその憲法解釈の正当性をめぐり、裁判官、憲法学者、政治家、運動家のあいだで論争が続いている。それでもなお、異なる性的傾向を有する人々の存在はアメリカの多様性の一部としてすでに定着したというのが大方の見方である。

さまざまな宗教

アメリカの多様性の重要な源に、もう一つ宗教の多様性がある。二〇一七年のギャラップ調査によれば総人口の七三パーセント、約四分の三がキリスト教徒である。残りはユダヤ教徒二・一パーセント、イスラム教徒〇・八パーセント、他の非キリスト教徒二・九パーセント、どの宗教にも属さないが二一・三パーセントという結果であった[12]。

一見すると圧倒的にキリスト教が優勢に見えるが、アメリカの宗教にはいくつか特徴的なことがある。第一に先進国には珍しく、何教であろうと神の存在を信じる人が多い。上記調査によれば国民の三七パーセントが非常に宗教的、三〇パーセントが適度に宗教的であると答えていて、合わせて六七パーセントを占める。二〇一六年の調査によれば、約三六パーセント（二〇一五年は三九パーセント）の人が教会やシナゴーグ、モスク、寺院、その他礼拝の場所へほぼ毎週赴く[13]。西ヨーロッパや日本と対照的である。

第二に同じキリスト教といっても、多くの教派があって多様である。二〇一八年から一九年にかけてのピュー・リサーチ・センターの調査によれば、大きく分ければプロテスタントが全成年人口の四三パーセントを占めるが、そのなかはさらに福音派、主流派、黒人系に分かれる。保守的な聖公会、長老派、ルター派から、独自の教義を抱くメソジスト、バプティスト、セブンス・デイ・アドベンティスト、ユニタリアンまでさまざまである。プロテスタント、カトリック（二〇パーセント）の他にも、モルモン教、エホバの証人、ギリシャ正教、アルメニア使徒教会、エチオピア正教会、コプト正教会その他と、さらに多彩だ[14]。

ちなみにユダヤ教でも、正統派、保守派、改革派のシナゴーグでは儀式や戒律がかなり違うし、イスラム教でもスンニ派とシーア派は大きく異なる。

さらに同じキリスト教の教派でも教会によって個性が違う。引っ越しが多い軍人の家族などは、新しい任地に到着するといくつか近隣の教会を回って、どこで礼拝に参加するかを決めるのだそうだ。これをチャーチ・ショッピングと呼ぶ。

第三に、多いとは言え、キリスト教徒の割合は過去一〇年で一二パーセント減少した。逆に特定の宗教を持たないと答える人は二〇〇九年の一七パーセントから九パーセント増えて二六パーセントになっている。[15]

第四に、キリスト教以外の宗教は少数派だといっても、アメリカの総人口が三億二〇〇〇万だから、その二パーセントを占めるユダヤ教徒が約六五〇万人、各々約〇・八パーセントを占めるイスラム教徒、ヒンズー教徒、仏教徒がそれぞれ二五〇万人ほどいる勘定になり、決して少なくない。ニューヨークはイスラエル国外で最多のユダヤ人人口を誇る都市だし、フォード自動車の本社があるミシガン州ディアボーンはアラブ系アメリカ人の人口が全米でもっとも多い（市の人口の約四〇パーセントを占める）。もともとキリスト教徒であるレバノン系アラブ人が多かったのだが、この二〇年ほどシリアなどから多くの人が戦乱を逃れて移り住みイスラム教徒の人口が著しく増加した。緊張や対立がないわけではないものの、モスクが多数建造され、アラビア語のサインが方々にあり、クリスチャンとイスラム教徒が共存する。近年アメリカにやってきた新しい移民たちの宗教が、今日のアメリカをさらに多様な社会にしている。

アメリカはこうした異教徒の移民をいつも歓迎してきたわけではない。例えばナチスの迫害を逃れるためアメリカへの亡命を希望するユダヤ人の受け入れに、ローズヴェルト大統領は当初消極的であった。ナチスのユダヤ人迫害が激しさを増していることが明らかになって初めて入国制限が緩和され、一九四五年までに二〇万人のユダヤ人がアメリカに逃れる。ただし一九四一年以後ユダヤ人のドイツ出国が完全に禁止され、取り残されたユダヤ人は強制収容所に移されて多くが処刑された。

入国を認められても異教徒はしばしば二級市民として扱われた。カトリック教徒やユダヤ教徒は国家への忠誠心を疑われ、老舗の法律事務所、大手の銀行、由緒ある社交クラブなどになかなか入れてもらえなかった。ニューヨークやワシントンには、今でもアングロサクソン系が集まる社交クラブとユダヤ系の社交クラブがある。二〇〇一年の9・11同時多発テロ事件以後、イスラム教徒が同じように肩身の狭い思いをしているという。トランプ政権になってから、そうした異教徒や異文化への排斥が再び目立つ。

そうした拒否反応が一部に存在するとはいえ、アメリカという国は異なる宗教に対して比較的寛容である。テロとの関連でイスラム教徒に対する警戒心や差別はあるが、他国でしばしば見られるような大規模な迫害はない。ヨーロッパに比べると、イスラム教徒にとってアメリカははるかに居心地がよさそうである。二〇一七年のピュー・リサーチ・センターの調査によれば、一〇人のうち九人のイスラム系アメリカ人が、アメリカ市民であることに誇りをもっていると答えた[16]。シリア、リビアなど戦乱の国、一部のヨーロッパやアジアの国のイスラム教徒にとって、アメリカは依然として彼らが自分たちの信仰を保ちつつ比較的安全に生活していける、数少ない国の一つである。

異教徒に対してアメリカが比較的寛容であるのは、この国の歴史的成り立ちにも深い関係がある。一七世紀初頭の植民者には、故国での宗教的迫害を逃れるために北アメリカへ渡ったものが多かった。皮肉なことに入植初期には一部の植民地で支配的立場にあったプロテスタント派が他の教派のキリスト教徒に寛容でなく時に迫害を加えたが、一八世紀の半ばになると教派が異なっても同じクリスチャンである人々の信仰を認めあうようになる。その原則を盛りこんだのが憲法修正第一条である。

さらに多様な多様性

アメリカの多様性を構成する要素は、他にもいろいろある。例えば建国以来地域によってアメリカは大きく異なる。北部と南部、東部と中西部、西部では、今でも政治的傾向、方言、社会、文化などでずいぶん差異がある。テキサスとカリフォルニア、ケンタッキーとオレゴンは、それぞれまるで違う国である。また年齢、あるいは世代による差がある。かつては大恐慌を経験した世代とその後の世代は、ものの見方がまったく違うと言われた。現在ではアップル、グーグル以前の世代と以後の世代に分かれるのかもしれない。いわゆるX世代にとって替わるミレニアル世代、Y世代、Z世代の登場である。

また後天的なものではあるものの学歴や所得も実に多様であり、しかも人々のあいだに大きな差を生む。人種や性別、宗教や出身地よりも、人を分かつ決定的な要素であることが多い。白人であれ黒人であれ一般的に言って学歴が高い方が所得も多い。所得が多ければ好きなところに住め、健康によいものを食べ、子供によりよい教育を授けられる。だからこそ貧しい農村地帯の出身であろうと都市のスラムの出であろうと、なんとか大学へ進んでいい成績をとりさらに上の学校へ行く。その上でチャンスを摑み高い所得を得る。アメリカではこれを成功という。アメリカン・ドリームと呼ぶ。

しかし問題は、高い学歴と所得を得る機会が人種や民族、性別、宗教、出身地、親の所得、家庭環境などにしばしば左右されることである。人種や性別にかかわらず特定の個人が高い学歴や所得をいったん獲得すると、その息子や娘、さらに孫が、再び高い学歴を得て成功する傾向がある。アメリカでチャンスが誰にでもあるというのはもはや真実ではない。能力と意欲さえあれば誰でも成功できるというのは神話に過ぎない。そう主張する人も昨今は多い。

アメリカはきわめて多様であり、多様性はこの国の強みである。アメリカの多数派は少数派にチャンスを与え、成功物語を無数に生んだ。人口動態の変化からしてこの国の多様性は今後ますます進むだろう。しかし新たな成功は時に新しい格差を生む。多様性への疑いも生む。健全な多様性を維持するのには絶え間ない努力とエネルギーが必要だ。多様性には影の部分がありコストもかかる。それをどうするかがこの国の新しい課題である。

註

（1） Hawaii Population. 2020（Demographics, Maps, Graphs）, http://worldpopulationreview.com/states/hawaii-population

（2） United States Census Bureau, *Quick Facts United States*, https://www.census.gov/quickfacts/fact/table/US/PST045219

（3） 同上。

（4） 2019 1L Enrollment by Gender & Race/Ethnicity（Aggregate）, https://www.americanbar.org/groups/legal_

education/resources/statistics/

（5）二〇一八年には全軍で女性の占める割合は将校と下士官・一般兵員を合わせて一七パーセント、このうち海軍では二〇パーセントである。2018 Demographics: Profile of the Military Community, https://download.military onesource.mil/12038/MOS/Reports/2018-demographics-report.pdf

（6）Gay and Lesbian Rights Gallup Historical Trends — Gallup News, https://news.gallup.com/poll/1651/gay-lesbian-rights.aspx

（7）*Bowers v. Hardwick*, 478 U.S. 186（1986）

（8）前掲 Gay and Lesbian Rights Gallup Historical Trends — Gallup News

（9）*Laurence v. Texas*, 539 U.S. 558（2003）

（10）*Obergefell v. Hodges*, 576 U.S. 644（2015）

（11）前掲 Gay and Lesbian Rights Gallup Historical Trends — Gallup News

（12）2017 Update on Americans and Religion, https://news.gallup.com/poll/224642/2017-update-americans-religion.aspx

（13）Five Key Findings on Religion in the U.S., —Gallup News, https://news.gallup.com/poll/200186/five-key-findings-religion.aspx

（14）Pew Research Center, In U.S., Decline of Christianity Continues at Rapid Pace *An update on America's changing religious landscape*, https://www.pewforum.org/2019/10/17/in-u-s-decline-of-christianity-continues-at-rapid-pace/

（15）同上。

（16）Pew Research Center, American Muslims are concerned — but also satisfied with their lives, https://www.

pewresearch.org/fact-tank/2017/07/26/american-muslims-are-concerned-but-also-satisfied-with-their-lives/

第2章　まとまるアメリカ、バラバラなアメリカ

We come on the ship they call the Mayflower
We come on the ship that sailed the moon
We come in the age's most uncertain hour
and sing an American tune

Simon & Garfunkel（Paul Simon), *American Tune*.

1　一つのアメリカ

国歌、国旗、愛国心

アメリカは多様である。しかし同時にこの国には強い統一性がある。これほど互いに異なる人々がそれぞれ勝手に暮らしていて、必要なときには一つになる。何が多様なアメリカを一つにするのか。

ハーバード大学ロースクール教授でアメリカ憲法史を教えている友人と一緒に、何年か前ボストンで大リーグの野球の試合を観にいった。レッドソックスのファンで、ボックスシートのシーズンチケットを持っている。私のボストン訪問が試合日と重なり、誘ってくれた。

試合前、球場内のボックスシート専用食堂で昼食をとっていたら、フィールドで国歌独唱が始まった。食堂内でもスピーカーから流れる。すると友人が、「立たなきゃいけないんだけれども」とためらっている。進歩派の彼は国旗掲揚、国歌演奏があまり好きでない。しかし老いも若きも、白人も黒人も、ボックスシートの客から外野席のファンまで、球場中の人が起立して胸に手をあて国歌がろうろうと歌われるのを聴いている。食堂でも食事中の人が立ち上がった。独唱が終わると、歓声と拍手が鳴りやまない。

スポーツの世界で国歌を歌うのは、アメリカだけではない。大相撲千秋楽で国歌が演奏され斉唱するのは、長年の伝統である。オリンピックの表彰式では金メダルを獲得した選手の国の旗が掲揚され、国歌が演奏される。国歌斉唱や演奏には、通常厳粛な雰囲気がある。アメリカ大リーグでももちろんそうなのだが、国歌独唱が終わった時ほど観客が嬉しそうに、楽しそうに、誇らしげに、熱狂的な拍手を送るのは見たことがない。

二〇〇一年九月八日、サンフランシスコ講和条約署名五〇周年の記念式典が、調印が行われたのと同じオペラハウスで開催された。関連シンポジウムに出席した私も、この式典に招かれ客席に座っていた。パウエル国務長官、ウォルフォビッツ国防次官、田中(真紀子)外務大臣、中谷(元)防衛大臣を筆頭に、宮沢（喜一）元総理、シュルツ元国務長官、歴代の元駐米大使、元駐日大使らが壇上に並んだ。最初にソプラノ歌手が登場し、アメリカ国歌と日本国歌を歌う。独唱がはじまったその瞬間、さっと立ち上がり胸に手をあて直立不動の姿勢を取ったのは、レーガン政権の国務長官、当時八〇歳のジョージ・シュルツ氏である。これを見た周囲の人たち、特に日本側の代表は、「いや立たないといけないいかな」とばかりに、おずおずと立ち上がる。胸に手をあてたりあてなかったり。いささかしまらない。

シュルツ元長官のふるまいは、国旗や国歌、ひいては国家に対する忠誠の気持ちがごく自然に表われたものである。自分の国の国旗や国歌だけでなく、他国の国旗や国歌に対しても最大の敬意を示す。戦中派のシュルツ氏は昔風の愛国者なのかもしれない。

もちろん私のハーバードの友人のように、国歌が奏されたら必ず起立するといった暗黙のしきたりに反発するアメリカ人もいる。国歌が歌われているあいだ一部選手がしゃがんで下を向くという、二〇一六年にプロフットボールの試合で始まった人種差別に抗議する行動は、トランプ政権の発足もあいまって激しい議論を引き起こした。

しかし大方のアメリカ人は、共和党員でも民主党員でも、野球場でも学校でも、白人、黒人、アジア系、ヒスパニック系の区別なく、国旗が掲揚される時、国歌が歌われる際、積極的に愛国心を表現する。個々には多様で政治信条も異なり時にはバラバラな国民が、国旗を見上げ国歌を歌いながら我らは一つだという思いを共有する。

歴史の共有、経験の共有

アメリカ人が共通の国民意識を持つようになったのは、それほど古い時代ではない。北米大陸の英国植民地は一七世紀初頭から存在したが、宗主国とそれぞれ別々に結びついており、同じ英語を話すイギリス人の共同体同士で一つにまとまっていたわけではなかった。一八世紀末、一三の植民地が団結して革命戦争を戦いイギリスから独立し、さらに共通の憲法制定により合衆国政府を樹立して初めて一つの国家になる。

憲法制定と合衆国政府の誕生後もアメリカでは各州の独立性が強く、合衆国としての統一感は薄かった。連邦政府の仕事は少なく、その規模も小さかった。沼地に建てた首都ワシントンは湿気が多くて何も見るべきものがない、つまらない街だと思われていた。建国当初ワシントン初代大統領の内閣には選挙で選ばれ上院議長を兼任する副大統領を除けば閣僚が四人しかおらず（国務長官、財務長官、陸軍長官、司法長官）、役人もせいぜい数十人。連邦政府の指導者たちは新しく誕生したこの中央政府にどうやって権威を与え実力を獲得するかに、力を注いだ。

そうした努力にもかかわらず、アメリカ合衆国の統一は一度失われる。建国から七二年後の南北戦争勃発である。この内戦は複雑な原因で起こったものだが、一口で言えば建国以前から存在した南北間の経済的、社会的、また文化的な相違、特に奴隷をめぐる対立の政治的解決が不可能になった結果であった。

戦争が北部の勝利で終わったため、アメリカは四年後に統一を回復した。しかし北部と南部のあいだの懸隔は、その後も一〇〇年以上埋まらない。南北戦争はアメリカ史上最大の戦争であり、その痛みの記憶は特に戦後長く北軍に占領された南部で二〇世紀になってもなかなか消えなかった。

それでも年月が経つにつれ、傷はゆっくりと癒えた。そして個々の記憶や地域的差異を乗り越えてアメリカが一つにまとまるきっかけとなったのは、この国が大きな試練、特に新たな戦争に直面した時だった。

例えば南北戦争終結から三三年後、一八九八年の米西戦争で、アメリカは一八四六年に勃発した米墨戦争（メキシコ戦争）以来半世紀ぶりに南北共同の敵と戦う。若い時に南北戦争で戦った南部人が連邦軍の指揮官としてキューバで戦功を挙げると、南部人は大喜びし、北部に対する長年の鬱積をはらした。北部人も初めて南部人に親しみを感じた。

同じことは、第一次世界大戦、第二次世界大戦でも起きた。太平洋戦争中、米海軍の潜水艦に乗艦して日本海軍と戦い、戦後在日米海軍司令官をつとめたヴァージニア州の名家出身の元海軍提督は、北部と南部のあいだのわだかまりが本当に解消したのは日本海軍による真珠湾攻撃だったと、私に語った。枢軸国との戦争を戦うために、北部人が南部の陸軍基地で訓練を受け、南部人が西部の港から太平洋戦争に送り出された。はじめて何十万人という一般の南部人と北部人が一緒に暮らし、働き、訓練を受け、戦った。この経験の共有こそが、南部と北部のあいだに残った最後のわだかまりを消した。誇り高い南部人の提督は、そう語った。

戦争は異なった人種や民族の人がはじめて一緒に生活し、働き、戦うことを可能にする。南北戦争では約一八万人の黒人が北軍兵士として戦った。白人とは別の部隊が編成されたが、それでも奴隷解放という共通の目的のために戦う意義は大きかった。部隊編成や兵舎、食事などが別であり、就ける職種も依然として限られていたものの、黒人は二度の世界大戦でさらに大きな役割を果たす。

軍において究極的に重要なのは、人種よりも共に戦うときに力になるかどうかだけである。勇敢な兵士は白人であろうと黒人であろうと評価され、それなりの待遇を受けた。士官に昇進し、一九四〇年には黒人最初の将官が誕生した。特に第二次世界大戦では多くの黒人将兵が手柄を立て勲章を授けられる。黒人も故国のために戦う誇りと喜びを感じた。戦争中、黒人兵士の待遇は次第に向上した。ただし彼らがアメリカ本土へ凱旋したときには、以前と変わらぬ差別的な扱いが待っていた。特に南部で完全に隔離された境遇に戻されたことは、その後彼らが差別と戦う大きな動機となる。

戦争中の経験を踏まえ、軍はアメリカにおける制度的人種差別解消の先駆者となった。一九四八年にはトルーマン大統領の行政命令によって白人と黒人の隔離が禁止される。のちにブッシュ（息子）政権の国務長官になるコリン・パウエル将軍は、一九五〇年代に大学で予備士官としての訓練を受け卒業後陸軍に入隊、南部アラバマ州に駐屯した経験があった。訓練が終わって同じ隊の友人たちと一緒に酒場へ飲みに出かけたところ、酒場の主人が黒人はお断りだといってパウエル少尉へのサービス提供を拒否した。すると白人の仲間たちがコリンに飲ませないならおれたちもここを出るといって、全員で酒場を去ったという。

9・11同時多発テロの記憶

思えばアメリカの人たちは、歴史上の大きな事件に遭遇するたびに経験を共有し、一つの国民をかたちづくってきた。それは日本もふくめ他の国でも起きたことだが、もともと人種、民族、出身地がバラバラで宗教も異なるアメリカでは、より大きな意味をもつ。パールハーバーがそうだった。ケネディ大統領の暗殺がそうだった。

二〇〇一年九月、短期集中講座の授業を担当していたヴァージニア大学ロースクールのあるシャーロッツビルからワシントン経由でニューヨークへ向かった。同地で講演を頼まれていた。シャーロッツビルの小さな飛行場を朝早く飛び立ち、四〇分ほどでワシントンのダレス国際空港へ着陸した。

小型の旅客機を降り、ターミナル内を移動してニューヨーク行きの飛行機に乗り換える。荷物を頭上の収納棚に入れシートベルトを締め、あと二時間後にスピーチだと思いながら搭乗機がゲートを離れるのを待っていたら、機内放送があり全員外へ出るように指示された。何が起こったのだろうと訝りながら戻った搭乗口前のテレビ画面から目に飛びこんできたのは、ワールドトレードセンターのツインタワーの一つが崩れ落ちる映像だった。9・11同時多発テロ事件が進行中であった。

空港にいた人々はただちに退去を命じられ、臨時に仕立てられたバスに乗って緊急避難センターに移動する。バスのなか、私の周囲には数人の白人の他に中東系あるいはインド系と思われる人がいた。一人が家族に連絡を取りたいといい、もう一人が快く携帯電話を貸す。重苦しい空気のなかでことばを交わす。皆ショックを受けていた。同時に怒っていた。人種など関係なく名前も名乗らず、我々はもっとも深い意味で、その日その時、確かに経験を共有していた。
あの日、私は何分の一かアメリカ人になったように思う。

2　多様性のいたみ

多様性は強みか？

アメリカの強さはその多様性にある。もう少していねいに言えば、その多様性を活用して有為な人材を抜擢し、人種、民族、出身地、性別などの相違にもかかわらず国の統一を保ち、大きな力を発揮する点にある。これまでそう述べてきたが、本当にそうだろうか。これだけ多様な社会を維持するには、どこかに無理が出ないか。多様性はアメリカにとって弱みでもあるのではないか。多様性は本当に統一性と両立するのだろうか。トランプ大統領の誕生は、アメリカ国民自身がこの国の過剰な多様性に疲れている証拠ではないか。

日本では長いあいだ、多様性をアメリカの弱点ととらえる人が少なくなかった。例えば朝日新聞の報道によれば、一九八六年九月二二日に、当時の中曽根康弘総理大臣は次のように発言した。

「日本は高学歴社会になっている。相当インテリジェントなソサエティーだ。アメリカなんかよりはるかに平均点は高い。アメリカには黒人、プエルトリコ、メキシカンが相当多くて、平均的にみたらまだ非常に低い[1]」。

一九八八年七月二三日には、ミッチーという愛称で親しまれた自民党の有力政治家、渡辺美智雄の黒人蔑視発言があった。朝日新聞の報道によれば、

「日本人は破産というと夜逃げとか一家心中とか、重大と考えるが、クレジットカードが盛んな向こうの連中は黒人だとかいっぱいいて、『うちはもう破産だ、明日から何も払わなくていい』それだけなんだ。ケロケロケロ、アッケラカのカーだよ[2]」。

と自民党のセミナーで述べた。彼らの発言はアメリカで大きな反発を受け、日米間に気まずい雰囲気をもたらした。二人の政治家はそれぞれ差別の意図は否定したものの謝罪し何とか鎮静したけれど、やはり本音が出たのだと思う。

多様性のつらさ

バブル期の日本人はアメリカを完全に過小評価していた。日本の経済力、産業力への過信があった。ところがバブルが崩壊したあとの日本は元気をなくし、だめだったはずのアメリカでアップルやマイクロソフト、さらにフェースブックやグーグル、アマゾンといった創造性に富んだ企業が、鉄鋼業や

自動車製造業に代わってアメリカ経済を活発化した。だめなアメリカには、それまでのやり方にとらわれない新しい発想を生む力があった。それはアメリカの有する多様性と切り離して考えられない。

確かにアメリカ社会の多様性を維持しつつ一つにまとまって力を出すのは、決して容易でない。その為には多大な努力が必要であり時には大変疲れることを、このような発言が出たバブル期の日本人はわかっていなかった。いや今でも十分理解しているとは思えない。

二〇年ほど前、アメリカ海軍に招かれて在日米海軍厚木飛行場から艦載輸送機で飛び、航空母艦「キティーホーク」に着艦、一晩艦内で泊まった。同空母に座乗する任務部隊司令官が艦内をくまなく案内してくれた。この巨大な艦には航空要員をふくめ約六〇〇〇人が乗り組んでいる。その平均年齢がわかるかと問われる。司令官の答えは確か二〇歳。はっきり記憶しているわけではないが、ずいぶん若かったのを覚えている。しかもセーラー（水兵）には少数民族の若者が多い。

一口にアメリカ海軍といっても、アメリカ社会と同様その構成員は実に多様である。アナポリスの海軍兵学校や一般大学を卒業し、士官として海軍に入りアドミラル（提督）になるような人物は総じて優秀である。海軍入隊後、修士号、時には博士号まで取得する人が多い。しかし普通のセーラーには何年間か海軍で働けば手に職をつけられると考えて入隊する高校卒の若者が多く、しかもマイノリティの占める割合が高い。(3) 例えば、「キティーホーク」では、艦橋からの指示に従って投錨抜錨の作業を行う艦首のセクションを、チーフ（海曹長）と一七、八歳の若い水兵数人（全員黒人であった）で固めていた。「彼らが錨を正確に下ろさない限り、この巨大な船は止まれないんだ」、と司令官は若いセーラーたちの肩をたたきながら説明した。

海軍の歴史上、洋上での叛乱は珍しくなかった。待遇や給料への不満から乗組員が実力で艦長を拘束し軍艦を乗っ取った事件が、イギリス海軍やアメリカ海軍で何度も起きている。いったん海に出たら長ければ半年以上母港に戻らず、狭い艦内で三段ベッドに寝て二四時間一緒に暮らすのが、昔も今も艦隊勤務である。人種、年齢、教育、背景の異なる六〇〇〇人近い乗組員。彼らを一つにまとめ規律を維持し、しかも共通の目標に向かってやる気を出させ働かせる。アメリカ海軍の指揮官は大変な仕事をしている。

複数の人種や民族からなる国は世界中にある。日本はむしろ例外である。多様性は多様な才能を生み、新しい思想や産業の誕生を可能にする。しかし異なるグループ同士が仲良く共存するのは、なかなか難しい。グループのあいだには力の差があり、通常数の多いほうが強い。多数派が少数派を差別し、場合によっては抑圧し迫害する。

イギリス人によるアイルランド人の収奪。ドイツ人によるユダヤ人の迫害、組織的な殺戮。漢民族によるウイグル人やチベット人の弾圧。ビルマ人によるロヒンギャの人々の追放。インドのカースト制度。中南米に植民地を築いたスペイン人による先住民社会の徹底的破壊や殺戮など、歴史上の例は枚挙にいとまがない。異なったグループのあいだの区別を多様性と呼べば聞こえはいいけれども、多数派と少数派のあいだの区別は不当な差別に陥りやすい。

また少数派のことばや宗教、しきたりを禁止し、無理やり同化する国も多い。フランスの作家アルフォンス・ドーデの作品には、普仏戦争でフランスがプロイセンに敗れた後アルザス・ロレーヌ地方の小学校でフランス語の授業が禁止され、作品の題名である「最後の授業」が行われる情景が描かれている。日本が植民地時代の韓国で行った日本語教育、創氏改名政策も、強制であったかどうかは別として同化政策の一つであろう。しかもほとんどの場合に同化は差別の解消を意味しない。同化が比較的うまくいった日本統治下の台湾でさえ、日本国籍を有する台湾人への差別があった。

そもそも人種や民族、出身国、宗教や信条を同じくする人、同じことばを話す人と一緒にいるほうが安心できるのは、多数派であろうと少数派であろうと人間の本性である。国民のあいだにそれほど大きな差異がない日本でさえ、大阪の人は大阪人同士、京都の人は京都人同士でいるときのほうがリラックスしている。東京人もたとえば埼玉県人をからかったりする。隅田川のあちら側とこちら側でも、ずい分感じが違う。

アメリカのようなきわめて多様であり差別を嫌う社会でも、あらゆるグループの人々が仲間同士で集まり、自分たちがアルメニア系であること、日系であること、イスラム教徒、ユダヤ教徒であることの喜び、誇り、そして少数派である悲しみを心置きなく共有している。私自身それがどんなことかをアメリカで暮らして初めて体験した。

少数派であること

ワシントンのロースクールで勉強中、ハワイ州選出の故ダニエル・K・イノウエ議員の事務所で一年ほどインターンをさせてもらった。日本からきた日本人でイノウエ議員のインターンをつとめたのは私が最初だと聞いた。セネターにもスタッフにも親切にしてもらい、さまざまな経験をした。

ある時、事務所で一番長老のスタッフと一緒に外出し車のなかで話をしていたら、彼が突然、"You know"と切り出した。"We have to be always conscious that we are minorities"と言うのである。少し補足して翻訳すれば、「君も僕も、われわれ非白人系の人間は、ここワシントンでは常にマイノリティなのだよ、そのことを意識していないといけない」という意味である。なるほどと思ったけれど、それまで自分自身がその一人であることを意識したことがなかった。この人はポリネシア系であった。

ワシントンの法律事務所で働いている時にも同じような経験をした。事務所で書類を配るのが仕事である黒人の若者がいた。時々私のオフィスのドアから顔を出し、「今時間ある」と尋ねる。いいよと答えると、しばらく坐って話をしていく。自分の経歴のこと、大学へ進む希望を持っていること。私の経歴、事務所の噂。ある時突然、「あなたはこの事務所で寂しくないかい」と訊かれた。どうしてそんなことを尋ねるのかと質問すると、「だって、あなたはこの事務所で唯一のアジア系ロイヤーだから」という。「偉いのはみんな白人だし、オレたちアフリカ系はいつも寂しい思いをしている」。お前もさぞ寂しかろうというわけである。こう言われるまで、自分が事務所で唯一のアジア系ロイヤーであることを考えたことがなかった。

マイノリティであるという意識は一般の日本人には希薄である。皆無と言ってもよいだろう。最近外国人労働者の増加が目立つとは言え、周囲の人間はほとんどすべて日本人だから考える必要がない。

しかし日本でも、在日韓国人、華僑の人は常にマイノリティであることを意識してきた。現代の日本で彼らに対するあからさまな差別は随分減った。しかしどこかでよそ者だと思われていることを、この人たちはいつも感じている。

日本へ来て日本人の女性と結婚し、日本が大好きですでに永住を決めているアメリカ人（白人）の大学の同僚は、「あなたはいつアメリカに帰るのかと始終訊かれる」と怒っている。外国人はいつか必ず故国へ帰っていくものだと、日本人は信じこんでいる。

そんな日本人がアメリカで暮らして、自分がマイノリティの一員であるのを身をもって経験する。多様ではあるが多数派が依然として牛耳っている社会で生きていくのは、存外疲れることを知る。そしてアメリカだけでなく、世界という多様きわまるコミュニティのなかで自分たちがマイノリティそのものであるのを、日本人は初めて認識する。

アメリカで自分たちが少数であるという意識をもつのは、黒人、アジア系、ヒスパニックなどに限らない。白人でも、アイルランド系、イタリア系、ユダヤ系、ポーランドなどの東欧系はその意識が強い。

法律事務所に一人ユダヤ系の同僚がいた。彼はロサンゼルス、私はワシントンのオフィスで働いていたのだが、ある案件で別々にハワイへ飛び一緒に働いた。仕事のあと夕食を共にしながらいろいろ話をする。お互いの経歴や家族について話しているうちに彼が、「最近可愛がっている甥が結婚してねえ、喜ぶべきことなのだけれども、とても寂しいんだ」と浮かない顔をしている。なぜかと訊くと、

「彼の奥さんはジェンタイルなのさ」との答え。ジェンタイルというのはユダヤ人でない人を指すことばである。

ユダヤ教のおきてによれば、ユダヤ人の女性が人種・民族・宗教の異なる人と結婚してもその子供はユダヤ人である。ところがユダヤ人の男性がジェンタイルの女性と結婚してもうけた子供は、ユダヤ人ではない。ユダヤの血は絶える。ユダヤ人と非ユダヤ人との結婚は当節珍しくないが、ユダヤ人男性と非ユダヤ人女性の結婚が増えればユダヤ人の人口は段々減少する。それが寂しいと彼は言う。

寂しいアッシリア人

作家ウィリアム・サローヤンの作品に『七万人のアッシリア人』という短編小説がある。サローヤンは二〇世紀初頭、当時支配下にあったオスマントルコ帝国による迫害・虐殺を逃れ、故国を去ってアメリカへ渡ったアルメニア人の二世である。生まれたのはフレズノというカリフォルニア州の中央部に位置する町だ。

物語は一九三三年の八月、主人公（サローヤン）が久しぶりにサンフランシスコの下町で格安の床屋に入るところから始まる。見回すと店は混んでいて、一一人待っている。受付は日系人の助手だ。ようやく自分の番が来た。担当の若い理髪師がどこか自分と似ている。そこで「君はアルメニア人かい」と尋ねた。自分はアルメニア人だ。アルメニア人は数が少ない。だから同胞らしき人に出会うとすぐ訊いてしまうのだと言い訳する。すると理髪師は髪を切りながら、自分はアッシリア人だと言う。

アルメニア人とアッシリア人は親戚のようなものである。中東の同じ地域からやってきた。大きな鼻も、目も、そして気質も似ているが、ことばは違う。サローヤンは何人かアッシリア人を知っていた。しばらく二民族の比較で会話が続く。

理髪師の名前はテオドア・バダルと言った。バダルは疲れて見えた。そしてつぶやく。「僕はアッシリア語が読めない。故国で生まれたが、もうアッシリアのことを考えるのはやめにしようと思っている」。どうしてかとサローヤンが尋ねるとバダルは笑って、「だって僕らの民族はもうおしまいなんだ。古代には偉大な文明として栄えた。今でも遺跡が残っている。でもそれははるか昔。自分はこうしてアメリカで床屋の修行をしている。僕らは終わったんだ。イギリスはアラブ人をそそのかして我々を全滅させようとしているし」と答えた。

「それはアルメニア人だって同じさ。我々も太古に栄えた。迫害を受けて国を失った。でも今でも自分たちの教会があるしアルメニア語で書く作家もいる」とサローヤンは反論した。「そしてみんな夢をもっている。アルメニア人の独立国家を打ち立てる夢をね」。

「夢？」とバダルは言った。「そいつはすごい。アッシリア人はそんな夢はもてない。そもそも世界中にアッシリア人が何人いるか、知ってるかい。」「二〇〇万か三〇〇万人くらい？」と答えると、「七万人、たったの七万人。アラブ人はまだ我が民族を殺しつづけている。そんなに経たないうちに、みんな殺される。兄はアメリカ人の女性と結婚して息子が生まれた。もう希望はない。我々はアッシリアのことを忘れようとしているんだ。父はまだアッシリア語の新聞をニューヨークから取り寄せて読んでいるけれど、もう年寄りだ。そんなに長くは生きないだろう」。そういってバダルは理髪師に戻り、「もう少し髪を切る？」とサローヤンに尋ねた（Saroyan 1994）。

少数民族であるのは寂しい。大勢の異民族と一緒に生活せねばならない。だから本当は故国へ帰って、あるいはユダヤ人のように故国を再興して、祖先の地で暮らしたい。それもまたアメリカの多様性の一面である。

多様性の光と陰

多様な社会では多数派の人も、少数派に気を使わねばならない。時に疲れる。つい本音が出る。ロイヤーとしてワシントンで働いていた時、このままずっとアメリカに住みつづけるかもしれないと思い、家を買った。友人から品のいい不動産屋の婦人を紹介してもらい、予算や好みを説明して見せられた何軒かの一つ、丘のうえの小さな家が気に入って交渉が始まった。オーナーはユダヤ人の若い夫婦、先方のエージェントもユダヤ人だった。ひどく攻撃的で、自分たちの要求を強い姿勢で一方的に主張する。我々も押し返したが、タフな交渉になった。

それでも何とか大筋で話がまとまって家を辞去し、少し離れたところまで来たとき、不動産屋の婦人が私と家内のほうを向いて小声で言うのである。「ごめんなさいね、あの人たちはああいう風なのよ」。はっきりとユダヤ人とは言わなかったけれども、明らかにこの民族特有の攻撃的性格を指していた。こうした表に出ない人種や民族間の意識のズレや反発は、始終ある。そうしたズレが時には不快な感情として残る。

特に少数派の優遇政策に対する反発は強い。マイノリティの権利を尊重するのは理解できるし、異存もない。だがなぜ彼らを特別扱いするのか。優遇せねばならないのか。アファーマティブ・アクションは逆差別ではないか。いくら優秀であるといっても、なぜ高学歴の少数民族出身者ばかりに政府や民間の高いポジションを与えるのか。我々の生活が苦しいのに、なぜ移民を制限しないのか。どうして我々ばかりが取り残されねばならないのか。多くの白人、特に経済的に苦しい白人はこう感じている。

二〇〇八年の大統領選挙でバラク・オバマ候補が、目指すべきは黒いアメリカ、白いアメリカ、黄色いアメリカではなく一つのアメリカだと訴え、史上初めての黒人大統領に選ばれた。多様でありながら同じアメリカ人として一つにまとまるアメリカが、この大統領のもとで実現することを人々は望み、実現を信じた。しかし人種間の対立は、オバマ大統領の八年間でかえって激しくなったと感じる人も多い。

アメリカ社会は多様性と統一性という理想にいささか疲れている。二〇一七年のトランプ大統領就任は、このことと深い関係があるように思われる。

3　多様性のとらえ方

戦前の日本人

建国以来この国を訪れたさまざまな人物が、アメリカの多様性と統一性について感想を残した。幕末以来アメリカに渡った日本人の観察も多い。ただその見方は必ずしも好意的なばかりではない。一部の日本人はアメリカの多様性をこの国の統一性の欠如、バラバラであることの証左ととらえ、さらに多様性よりも画一性に焦点を当てた。

日本人は開国から約五〇年のあいだ、多様で開かれたアメリカに対して概してよい印象を抱いた。例えば一八六〇年に咸臨丸でサンフランシスコを訪れた福澤諭吉は、アメリカはよそ者を排除しない開かれた国だと感じた。しかしその後日本人移民排斥の動きが強まるとともに、この国に対する好感を次第に失いはじめる。アメリカは物質的で腐敗だらけで貧富の格差が大きく、洗練された文化に欠け、バラバラで不統一、排他的な国だという見方が広がる。

それに反論したのは、一八九五年に渡米しダートマス大学で学んだあと、のちに日本人として初めてイェール大学で教授をつとめた朝河貫一（あさかわかんいち）である。日露戦争のあと大陸政策の相違から日米関係が悪化するのを恐れて著した『日本の禍機』という本のなかで、アメリカはバラバラであるように見えて実は結束の固い国である、誤解してはならないと説く。

「米人の中には日本人の思議し難きほど自由に自国の政治および社会を批評し、外人に向いてその弱点および短所を語るを憚らざるものあることは、世の皆知るところなり。しかれどもこれを見て、米人は自国に関し何事にても無遠慮に評価するものなりと思うは正当ならざるがごとし。（中略）史上および現今の国事を自在に非難する人といえども、自国生存の根本問題に関しては熱烈の信仰を有することとなるべし。（中略）評論の自由なるより推して、米国人の愛国心薄弱なりと結論するは、決して透徹の見解にあらず」（朝河 一九八七）。

アメリカはいざとなると団結するという朝河の見方は、残念ながらその後日本人の多数が共有するものとならなかった。

アメリカで暮らした経験のある日本人のなかからも、この国の否定的な側面を伝えるものが現れた。例えば谷譲次（本名長谷川海太郎）という戦前の作家は自らの対米経験に基づき、日本人だけでなく外国人一般に警戒心が強く物質的で退廃的で軽薄な側面をもつ一九二〇年代のアメリカ社会を、一連の「めりけんじゃっぷ」ものを通じて生き生きと描いた。長谷川は、牧逸馬のペンネームで怪奇犯罪探偵小説を、林不忘として「丹下左膳」シリーズを書き、一世を風靡した。一九一八年に一八歳でアメリカへ留学したが、オハイオ州の大学をすぐにドロップアウトし、その後各地を放浪。差別を受けながら皿洗い、バトラー、ホテルのベルボーイ、船員などさまざまな職についてたくましく生きた人物である。

例えば彼は中西部の都市の画一性について書いている。

「いったい亜米利加（アメリカ）の町は没（ぼっ）趣味にまで画一的で、どこへ行っても、町の中央に木の植わった広場（スクエア）があって、その広場に面して、幅の広い石段のついた市庁（シティ・ホウル）があることにきまっている。このC市なんかその典型的なものだった」（谷　1　一九七五）。

ただし谷は、アメリカはそれだけでないことも指摘している。

「いったい日本の人には、亜米利加（アメリカ）の正体がわかっていないように思う。ある人達は日本へきている宣教師（ミッショナリー）のようなのが亜米利加（アメリカ）人だと思って、あめりか人はみんな地味な敬虔（けいけん）な人ばかりだと考えている。（中略）しかし（中略）亜米利加（アメリカ）人の大部分は神様の親類でもなければ、そのまた親類の親類でもない」。

「ところが、ある人々、ことに若い人たちは活動写真でみる亜米利加（アメリカ）が亜米利加（アメリカ）の全部だと思い込んでいたりする。これも大間違いだ。（中略）いくらあめりかだって、映画（スクリン）で見るほど愚鈍（ぐどん）でもなければ豊満（ほうまん）でもない。聖林（ハリウッド）はあめりかの羅府（らふ）の郊外の一小都会である。けっしてあめりか全体を代表するものでないどころか、聖林（ハリウッド）は亜米利加（アメリカ）ではないかもしれない」（谷　2　一九七五）。

アメリカの画一性を批判した谷は、アメリカの多様性についても理解していたように見える。

戦後の日本人

戦後アメリカへ渡った知識人たちも、戦前の谷と同様アメリカの画一性に言及している。フルブライト給費生として一九五九年にアメリカへ渡った小田実は一世を風靡したベストセラー『何でも見てやろう』のなかで、アメリカ社会が発する一つの匂いについて語っている。

「スーパー・マーケットというものの扉を開くと、どこででも（中略）ニューヨークであろうとシカゴであろうと、オマハ州の何トカ町であろうと、同じ匂いが鼻をついた。いや、鼻をついたと言っては言いすぎであろう。そんな強い匂いではない。生まものというのはないのが原則だから（野菜も小ギレイな包装のなかにおさまっている）、サンマを焼くようなドギツイ匂いがプンと鼻にくるというようなことはないのである」。

小田はこの「アメリカの匂い」を、アメリカの画一主義（コンフォーミズム）の表れと見た。

「誰もが同じものを食べ、同じ服を着、同じ住居に住み、同じふうに考え、（中略）同じふうに行動する」「（バスで旅行をしていて）先ず眼に入るのはバスの駅である。これはどこへ行っても差異はない。(カフェテリアに入ると)カンヅメから出てきたスパゲッティ、あるいは冷凍カンカチコが化けたこうしのカツレツ。同じ味であり、同じ値段である。ゲップまで同じのをしながら出る」(小田 一九七九)。

アメリカの画一性、どこへいってても同じアメリカという観察は、ある意味で間違っていない。表面的にアメリカは確かに画一的である。さらに言えば世の中の仕組みを共通化、画一化し、スタンダードを作り、多様な背景と文化をもつ人々の共存を可能にする力は、アメリカ文明の一つの特徴であり強みであろう。しかしその奥にある豊かな多様性、特に個人個人の精神の多様性に、小田は目を向けていない。

小田とは対照的な観察をしたのが、ロックフェラー財団のフェローとしてアメリカへ渡った作家の安岡章太郎である。日本人の多くが東部や西部に向かったなかで、珍しく南部テネシー州のナッシュビルへ向かい、この街に六カ月滞在した。そして親切な南部人の世話になり南部の風物に触れるにつれて、安岡は南部に対してある種の共感を覚えはじめる。

その一つの理由は南部の歴史、とりわけつい最近のことのように語られる南北戦争の記憶である。北軍に敗れた南部人の複雑な感慨は、米軍に敗れた戦後の日本人の複雑な感慨に通じるものがあった。同じアメリカでも一つには括れないと安岡は確信する。

「考えてみればアメリカの画一性というのは日常生活を大量生産による物資（家屋、自動車、家具、衣類、食料等）でまかなっていることからくるもので、全アメリカ人が同じ印の缶詰を食っているからといって、必ずしも全アメリカ人が同じことを考えているわけではない。それどころか、州により、地域により、実に千差万別の慣習があり、法律があり、各個人の自由はせいいっぱい尊重されている」（安岡 一九六二）。

エブリウェア・コミュニティ

時に過剰なほど多様でありながら、同時に一つにまとまっている。それゆえの摩擦があり、対立があり、矛盾があるものの、多様と統一がなんとか共存している。長年シカゴ大学で教え、連邦議会図書館長をつとめた著名な歴史家であるダニエル・ブアスティンは、『アメリカ人』（*The Americans*）という三部作[4]の一冊、『民主主義の経験』の冒頭で、そんなアメリカの共同体をEverywhere Communitiesと呼んだ。「どこでも共同体」とでも訳すべきだろうか。

「アメリカ人は互いに手を差し伸べあった。（アメリカという）新しい文明は新しいかたちで人々を一つにまとめるようになった。信仰や信条、伝統や出身地よりも、共に努力し経験を共有することによって、日々の生活上の工夫と自分たち自身のとらえかたによって、人々は結びついた。希望よりも必要、何をつくり何を買うか、どうやってものごとを知るかによって、結ばれた。（中略）人々は居住地域や出自で分類されるのではなく、場所に左右されない、どこにでもありうる、そしてどこにでもある物と知識で区別された。（中略）これこそがアメリカ人にとって、自分たちが属すると告げられ（あるいは属すると信じ）、そして実際に所属する新しい共同体であった」（著者訳）（Boorstin 1958）。

アメリカの共同体は、信条、信仰、祖先伝来の土地、あるいは伝統や歴史といったものではなく、経験の共有、経験の蓄積、知識や物の共有によって生まれる。誰にでも共有を可能とする方法や手順も生み出して用いた。だからこそ人種や民族、宗教や信条、価値観が異なっていても、一緒に生活ができるし統一しうる。ブアスティンはそう言っているように思われる。

E PLURIBUS UNUM（多数から一つへ）

既述のとおり、今日見られるような規模と幅を有するアメリカの多様性は、歴史上それほど古いものではない。建国初期のアメリカでも多様な背景をもった人々が互いに比較的わけへだてなく共存していたけれど、それはあくまでアングロサクソン系を中心とする白人の仲間うちだけのことであった。奴隷であってもなくても黒人やアメリカインディアンはそのなかに入れてもらえなかったし、のちのアジア系やヒスパニック系の住民もそうである。

またアメリカの統一がいつも強固であったわけでもない。建国の父祖たちが創設した合衆国の仕組みによる統一は、はなはだもろかった。一八六一年には南部一一州が連邦から離脱し、南北戦争が始まる。アメリカ合衆国はついに分裂した。実力行使には至らなかったものの、一九世紀初期にはニューイングランドのいくつかの州が合衆国からの分離を企てるなど、分裂の動きは何度かあった。

そうした党派間の対立や分裂の危機を乗り越えて、アメリカは今日までその多様性を維持・拡大させながら何とか統一を保ってきた。そして自らの多様性を、この国の活力の泉源、才能の貯蔵庫、科学の進歩や芸術の開花への刺激に転換するのに成功した。こうしたアメリカの多様性は、ヨーロッパなど世界の他の国や地域のあるべき姿に一つのモデルを提供してきた。

しかしどれだけ努力しても、多様性はほぼ必然的に人々のあいだの緊張や摩擦、利害の対立や衝突を生む。異なる集団の関係はギスギスしやすい。それを乗り越えて多様性を維持し同時に統一と調和を達成するのは、容易なことではない。無理に維持しようとするとかえって歪みが出る。皮肉なことに、あらゆる工夫を凝らし時には強制的にあるべき多様性の実現と維持に成功してきたアメリカは、現在その維持にこれまで以上に苦労しているようにさえ見える。多様性と統一性はアメリカの財産であると同時に、永遠の課題でもある。

註

（1）『朝日新聞』（東京版）一九八六年九月二四日付夕刊、一面。
（2）『朝日新聞』（東京版）一九八八年七月二四日付朝刊、二面。

（3）アメリカ軍全体で下士官と一般兵員の占める割合は、白人が六七・三パーセント、黒人が一八・八パーセント、アジア系が四・四パーセント、マイノリティ全体で三二・七パーセント。海軍では黒人が一九パーセント、アジア系が五・六パーセント、マイノリティ全体で四一・一パーセントであり、全軍で最もマイノリティの比率が高い。他方各軍種でマイノリティ出身者が全将校のなかで占める割合は、下士官・一般兵員での割合よりかなり低く、二〇パーセント台に留まっている。前掲2018 Demographics: Profile of the Military Community, https://download.militaryonesource.mil/12038/MOS/Reports/2018-demographics-report.pdf

（4）『植民地の経験』（*Colonial Experience*）、『国民の経験』（*National Experience*）、『民主主義の経験』（*Democratic Experience*）、日本語版は『アメリカ人』上・下、新川健三郎訳、河出書房新社、一九七六年。ただし本書での引用は、すべて原文を著者が翻訳したものである。

第3章　私のアメリカ、みんなのアメリカ

And you read your Emily Dickinson
I my Robert Frost

Simon & Garfunkel（Paul Simon）, *The Dangling Conversation.*

1　勝手なアメリカ

わがままで親切

アメリカ人は勝手だと言われる。わがままだと言う。みんな自分のことばかり考えている。確かにいい意味でも悪い意味でも、アメリカ人は個人主義者である。個人だけではない。アメリカという国にもそういうイメージがついて回るようだ。

国際世論の反対を押し切ってイラクとの戦争を戦ったブッシュ（息子）大統領の時代には、単独主

義（ユニラテラリズム）のアメリカ、国際法を守らないアメリカと、たびたび非難された。トランプ大統領も人の言うことを聞かない。国際社会が困惑する政策を独断で推進する「アメリカ第一主義」は、まさに勝手なアメリカを標榜するスローガンだろう。むしろ「アメリカだけよければよい主義」に近い。

しかしそうであっても、一般のアメリカ人は見も知らぬ他人に親切である。困っているとすぐ援助の手を差し伸べる。席を譲り、重い荷物を運び、車で送ってくれるなど、思いがけない親切心を示す。国のために銃をとって戦い、軍に対し敬意を払う。勝手なアメリカ人が公の目的のために多額の寄付をし、奉仕活動を行う。わがままなアメリカ人が非営利団体をつくり、熱心に慈善事業に精を出す。国もそうだ。最近は大分変わりつつあるが、世界のどこかで大災害が起きるとすぐ軍を派遣し、開発途上国に援助をし、時に迷惑がられながらも民主化や人権の尊重を説いてきた。アメリカ人は親切であるときも、多少わがままなところがある。

もちろん自分本位な人間が多いのは、アメリカだけでない。他の国でも同様である。ただアメリカの場合、わがままで自己本位な部分とみんなのためにという部分と、その懸隔が他国より大きいように感じる。しかもしばしば一個人、一組織、そして国家のなかに両方が併存している。勝手なアメリカと互いを思いやるアメリカ。私のアメリカと公のアメリカ。そのあいだの適正なバランスを、この国の人々はどのように維持し社会を成り立たせているのだろうか。あるいはそこに問題が生じつつあるのだろうか。

空気を読まない人たち

アメリカで法律事務所に勤務中、時々びっくりすることがあった。法律事務所では基本的に法曹の資格をもつ人間、すなわちロイヤーが中心になって働いている。それぞれ個室を与えられ、法廷や顧客のところへ出かける以外はそこにこもって一日中、場合によっては一晩中、書類と格闘する。取引であろうと訴訟であろうと、ほとんどの仕事は何人かでチームを組んで引き受ける。また複数のチームに属し異なる案件をいくつか同時に担当する。必要に応じチームで打ち合わせをする。

いくつもの案件が同時進行しているので、締切りが重なることも多い。仕事が立てこむときはチームから一人でも抜けると痛い。進行中の案件をいくつか抱えると、なかなか休暇が取れない。少なくとも日本人ならそう思うだろう。取り損ねていると、また新しい仕事が降ってくる。

ところがアメリカ人の同僚たちは違う。平気で休暇を取る。ある日突然、同じチームの同僚からオフィスメモというのが回ってきた。いまはｅメールなどを使うけれども、八〇年代後半にはまだ紙で回していた。メモにはこう書いてある。

「同僚のみなさん、私何某は本日から二週間休暇を取ります。私の不在中案件Ａは誰々が、案件Ｂは誰々が、案件Ｃは誰々が、私に代わって担当します。ご協力を感謝します」。

ええっ！　彼女には今日会って、今後の細かい手順について打ち合わせをしようと思っていたのに。

休暇を取るなんて、一つも聞いていなかった。そう愚痴を言っても、もう遅い。あとは残ったロイヤーでなんとかせねばならない。

ただしこの同僚は、仕事を無責任に放り出して休みを取るわけではない。自分がやるべきことはすべて片づけ、個々の案件について代理の担当者を決め必要な情報を与え、万が一の場合には秘書を通じて自分に連絡を取れるようにしておく。その限りではまったく落ち度がない。こうやって長い休暇を取れるのも、能力のうちである。しかしずいぶんアメリカに慣れたつもりの私でも、最初はびっくりした。

またこんなこともあった。某案件を担当中、必要な書類を役所に提出する締切りが翌日の昼に迫り猫の手も借りたいほど忙しかったある日、夕方の五時になるや私の秘書が机の上を片づけ、サッサと帰っていく。頼んだコピーができていない。エレベーターホールまで追いかけて、「お願いだからあと五分いてよ。コピーを完成してくれると助かるんだ」と懇願した。すると彼女はニコッと笑って、"You have a career, I have a job. Good-bye!" と言ってエレベーターに乗りこみ、私に手を振って帰っていった。

彼女のことばを少し補足して訳せば、「あなたにとってはこの事務所で働くことが将来に向かってキャリアを築き成功するのに直接つながっているけれど、私はただ給料を稼ぐために働いているのだから、時間が来たらさっさと帰るのよ、おあいにく様、さよなら」と言っている。日本の職場だったらこうはいかないだろう。けれども彼女にとっては当然のことであって、翌日の朝にはまたニコニコして出勤してくる。

さらにこんなこともあった。法律事務所にはパートナー（共同経営者）という、一般の企業でならば執行役員兼株主にあたる人がいる。私のつとめるワシントン・オフィスの筆頭パートナーは、そのなかでも特に地位が高い事務所全体の経営責任者の一人で、この人はロサンゼルスとワシントンと両方のオフィスに執務室をもち、行ったり来たりしていた。ある時、ワシントン・オフィスの彼の秘書が出産間近ということで、信頼するロス・オフィスのもう一人の秘書をワシントンに呼び寄せた。自分の家に泊めて毎朝一緒に出勤する。

もちろん日中は事務所で一番偉いロイヤーと秘書の関係であり、彼女もかしこまって働いている。ちょうど同じとき私は東京オフィスからワシントンのオフィスへ一時的に戻っており、パートナーの家で一緒に泊めてもらった。夕食後パートナーとその奥さん、秘書、そして私の四人一緒にテレビで放映される映画を見る。くだんの秘書さんは、自分のボスがパイプをくわえて座るその横でソファに寝転がり、のんびりしている。

放映されていたのは『羊たちの沈黙』という有名なスリラー映画で、とりわけ怖い場面になったら、なんとソファの秘書さん、横になったまま大きな声で叫び出した。「キャーッ怖い。スティーブ、早く別のチャンネルにして」とボスに命令する。スティーブはおもむろに立ち上がり、リモコンを取り上げて言われたとおりテレビのチャンネルを変えてくれた。

秘書が上司の家に泊めてもらい、自分は寝転がったまま上司にテレビを操作させる。相手がどんなに高い地位にいても、たとえ上司であっても、日常的な付きあいでは個人同士対等ということが徹底している。いかに公と私を分けると言っても、このような情景はアメリカでも見たことがなかった。

アメリカ社会ではあくまで個人が単位だ。日本とそこが大きく違う。日本人の目にアメリカ人がしばしば勝手に見えるとき、当のアメリカ人にしてみれば単にひとり一人が個人をベースに考えて行動しているに過ぎない。そうした場合が多い。もちろん本当に勝手でわがままな輩も多いけれども。

新鮮な勝手さ

アメリカ人の勝手さが、いささか新鮮で心地よく感じることもある。ある時、仕事でニューヨークからワシントンへ飛行機で飛んだ。この路線は利用者が多いので、大手航空会社二社がシャトルと呼ばれる定期便を平日の日中毎時間それぞれほぼ一便飛ばしていて、空港に行きさえすればたいていすぐに乗れる。ところが夏のさなかのこの日、ワシントン上空で積乱雲が発達して搭乗予定の便が大幅に遅れた。飛ぶのか飛ばないのか、乗れるのか乗れないのかわからない。ところが航空会社の対応が悪くて、いつまで経ってもはっきりしない。カウンターの前は長蛇の列である。

ようやく自分の番がきて、どういう状況なのか、どうしたらいいのか、キップの払い戻しはあるのか、と担当者に尋ねたが要領を得ない。情報が届いていないという。ほとほと呆れて、「おたくの航空会社、なんか問題あるんじゃあないの」と捨て台詞をはいたら彼女はにやっと笑い、「正直に言って、私もそう思う」と答えた。

日本で同じようなことが起こったら、カウンターの係員はひたすら自分の責任であるかのように、「ご迷惑をおかけして、まことに申し訳ありません」と謝りつづけるだろう。航空会社の対応が悪いのは、自分たちの連帯責任のような顔をするだろう。アメリカ人はそうでない。会社と自分は別。会社でバリバリ働くのは基本的に自分のため。決して会社のためではない。本当はそう思っていても日本人はそこまでドライになれない。

すべてを会社に捧げるという人は現代の日本でも絶滅危惧種に属すると思うが、それでも日本人は会社のなかで組織のなかで、自分がどこに位置しているのかを無意識のうちに考え大切にしている。業界のなかで自分の会社がどのような立場にあるかにも敏感だ。

アメリカの法律事務所で一緒に働いた若い同僚は、顧客である日本のビジネスマンと私が名刺交換をするのを見るたびに感嘆していた。客が部屋に入ってきたとたんにさっと名刺を取り出し、何の打ち合わせもなしに相手側の偉い人から順々に手渡し、深々とお辞儀をする。どうしてあんなに複雑なことができるのか。ほとんどアートだという。それは長年の経験によるものだと説明するしかなかった。

最近はアメリカ人も名刺交換をするが、名刺を氏名、所属、連絡先などを記した自分に関する情報カードぐらいにしか思っていない。会議室のテーブルの向こう側から名刺を投げてよこす人さえいる。日本人にとって名刺交換は自己紹介の手段であるだけでなく、自分が組織のなかで占める位置を相手方に示すための儀式なのだろう。であれば一番下端の者が、真っ先に相手の社長の前に出て名刺を渡すわけにはいかない。自己紹介をしているのは個人ではない。それぞれ然るべき地位にある数人が代表して、会社の自己紹介をしている。役所・会社・団体の国日本に対し、アメリカはよくもあしくも個人の国である。

2　奉仕するアメリカ

学校の奉仕活動

個人主義に徹していて一見自分のことばかり考えているアメリカ人が、反面驚くほど公共の精神に富んでいる。これは矛盾なのか、そうではないのか。

今は成人してそれぞれ家庭をもつ私の息子二人は、アメリカで学校へ通った。最初はワシントンで私立の幼稚園と小学校に四年。二度目はヴァージニアの大学町で小学校と中学に六カ月。長男はさらに高校もアメリカだった。

子供を地元の学校にやるのは、アメリカ社会を知るよい機会である。彼らが入学すれば、自動的に親も受け入れられる。同級生の父母も、クラスメートなのである。そしてあらゆる学校の行事に巻きこまれる。

最初はカープールであった。長男が私立の小学校に入学を許可されてすぐに、見知らぬ女性から家内に電話がかかってきた。学校はワシントン市内の西北部にあったが、我々は川向こうのヴァージニアに住んでいた。こちら側には学校のスクールバスが来ない。大した距離ではないのだが、毎朝自動車に乗せ橋を渡って送らねばならない。迎えも必要である。

電話の主は、いきなり「一緒にカープールをしないか」と家内に切り出したそうだ。ヴァージニア側に住む生徒が数人いる。その父兄が交代で送り迎えをしようというのである。なるほどそれは助かる。しかし見も知らぬ他人を信じていいのだろうか。家内は半信半疑で、とりあえずはっきりしない返事をしたものの、結局チームに入れてもらった。

子供を受け渡しする場所と時間、当番を決め、交代で学校まで連れて行き、午後迎えにいく。私も事務所に出勤する前、一週間に二回自分の車に乗せて送った。帰りは主として家内が受けもった。自然に子供同士、親同士が仲良くなる。最初に電話をもらった婦人は家内の親友となり、家族同士のつきあいが今も続く。

子供の通う学校で親同士が親しくなり協力するのは、日本でも同じだろう。しかしまだ入学しておらず親同士面識もないのに、電話一本でその送り迎えについて同意しカープールを実行するというのは、我々にとって新しい経験であった。

カープールに限らず、アメリカの小学校では親の役割が大きかった。始終引っぱり出されるだけでなく、仕事をさせられた。例えば学校からの手紙で、何月何日何曜日に校舎の一部でペンキの塗りかえをするから手伝ってほしいと頼まれる。強制ではないが、行くと父親が何人も来て働いている。あるいは家内が図書館で本の貸し出しを手伝い、子供たちに本を読んで聴かせる。カープールを呼びかけてくれた息子の友人の母親は、学校の小さな売店を切り盛りしていた。

親の関与は時が経つに連れて深まる。日本人だというので、長男の担任の先生からクラスで日本の話をしてくれと頼まれた。ある日午前中に法律事務所を抜け出し、小学校一年生に折り紙の折り方、箸の使い方などを教えた。

そのうちに、同じ学校の高等部から連絡があった。当時日本はバブルの絶頂期にあり、日本に対する関心が高かった。我が高校でも生徒に日本語を教えたい。日本の歴史も教えたい。できれば日本の高校と交換留学をしたい。手伝ってくれないか。

この目的のために学校長直属の委員会が設置され、私もメンバーにされる。いろいろ手分けして努力した結果、日本語と日本の文化・歴史を教える科目の設置が決まった。また私がいくつか日本の私立高校と接触し、学校長が日本へ出かけて訪問、そのうちの一校と合意が成立し交換留学プログラムが発足した。ずいぶん感謝された。我が家族と学校の縁が格段に深まったように感じた。

奉仕する理由

アメリカではなぜ親が子供の学校に、これほど関与するのだろうか。我が家の息子二人が通ったのはワシントンの私立学校だったので、経験をどこまで一般化できるかはわからない。アメリカの小学校、中学校、高校には、もちろん地域差があり、教育程度や教育環境にも大きな差がある。私立と公立でも大きく違う。それでもなお、子供の学校への親の関与度は一般的に日本より高いように思われる。

その理由の一つは、人手不足であろう。教育には金がかかる。特に私立学校（アメリカの場合、カトリックの教区学校もふくまれる）では、建物の維持費から教員の給料まで、学校を経営していく費用はほぼすべて自分たちで工面せねばならない。公的補助金は皆無ではないが、あまり期待できない。特に宗教系の私立学校に対する公的補助は、憲法の政教分離の規定上原則的に禁止されている。もちろん基本的には親から徴収する授業料でまかなうのだが、それだけでは通常の授業を行う以上のことにまで、なかなか手が回らない。その部分を保護者の奉仕に頼る。

もう一つ、親たちは仕事を通じての人間関係とは別の共同体を、子供の学校に求めている。アメリカ人、特にワシントンのような都会のアメリカ人は存外孤独である。仕事を通じて他人との接触はいやというほどあるが、それはその時限りのもの。ワシントンはその典型で、生粋土着のワシントン人は少ない。多くが他の土地からやってきて、再び他所へ去っていく。政権が変われば政府関係の人々がごっそり入れ替わり、社交の場でもメンバーが様変わりする。

そうした地域だからこそ、利害を離れた人との共感やつながりがかえってほしい。同じ年代の子供をもつ親同士という関係はそれを与えてくれる。「この土地に何の関係もない我々にとって、子供の学校は、ここに属しているという気持ちをもてるほとんど唯一の場所だ。だから僕ら夫婦にとって、とても大事なんだ」と、息子の級友の父親が、ある時学校でのピクニックでぽつりとつぶやいた。

けれども人手が足りない、帰属感がほしい、どうもそれだけが理由ではない。アメリカ人には子供の教育という重要な営みを、本来自分たちの力で、親たちが協力しあってすべきだという考え方がある。もちろん各州の法律が初等中等教育の義務化を定める現代のアメリカでは子供を学校に通わせるのが普通だが、歴史的に子供の教育は本来プライベートなものであり古くは親が家で授けるものであった。

イギリスではイートン校やラグビー校など、有名な私立の中学校高等学校を「パブリック・スクール」と呼ぶ。これはもともと貴族の家で家庭教師を雇い基礎的な教育を子供に「プライベート」に授けていたのが、やがて一カ所に子弟を集め「みんな一緒に」すなわち「パブリック」に教えるようになったからであるらしい。

今でも子供の教育を学校に任せたくない人たちがいて、ホームスクーリングといって子供を学校に送らず家で教える。しかも一定の規準を満たせば、それが州から正規の教育として認められる。テネシーに住む私の友人一家は、小学校教師だった夫人が三人の子供を近所の子たち数人と一緒に家で教えていた。

ホームスクーリングまではしなくても、さまざまな理由で公立学校での画一的な教育に飽き足らない親は、自分たちで学校をつくるか既存の私立学校を選んで子供を通わせる。ただアメリカでは特に都市部の公立学校で、教育の質が低い、治安が悪い、人種的対立が深刻だなどの理由で、富裕層の家族が子供を私立学校へ送る傾向がある。その結果学校間の格差がさらに広がる。私立学校は富裕層による意図的な教育格差の固定化だと、進歩派は非難する。

しかしそれだけではない。カトリックを筆頭にキリスト教の一部教派、ユダヤ教、イスラム教など、独自の宗教的信条を持ち戒律を守る家庭の多くは、所得レベルにかかわらず自分たちの宗教に基づく教育を子供に授けることを望む。公立学校ではそれができないという理由で、子供をそれぞれの宗教・宗派の学校に送る。あるいは土曜日や日曜日だけ、日曜学校、ユダヤ学校などに通わせる。画一的な教育をする公立学校ではなく独自の価値観や信仰にあう学校をみつけ、そこで自分たちの宗教にそう教育を受けさせる。であればこそ、自ら選んだ学校の教育や運営にできる限り関与し協力する。そうした精神がある。

力を合わせるということ

家族でもない、親戚でもない。人種も出身地も違う。特別な関係は何もない他人同士が、一つの目的のために自発的に集まり協力しあう。その例は教育以外の分野でもしばしば見られる。

アメリカでは時に大停電が起こる。大都市の電気が一斉に消える。日本では二〇一一年の東日本大震災、二〇一八年の北海道大地震の際に起きた以外あまり見ないが、アメリカでは停電がそれほど珍しくない。私が住んでいた二〇〇三年にも、大規模な停電があった。五〇〇〇万人もの人が二日にわたって影響を受けたという。アメリカ北東部では史上最大の停電として記憶されている。

停電が起こると都市の機能は完全に止まる。夜になると真っ暗ななかで、信号が消えた交差点を自動車がおそる恐る通り抜ける。危なくて仕方ない。そんな時、アメリカでは必ずといってよいほど自発的に交通整理役を買って出る人がいる。警官でもなんでもない、普通の民間人である。身振り手振りで南北方向の車の流れを止め、東西方向を動かす。しばらくすると東西を止め、南北を動かす。

日本であればそれは警察の仕事だからと、おそらく誰もやろうとしないだろう。ところがアメリカでは、警官がいないのならオレがやろうと出てくる人が必ずいる。ちなみに交通整理を引き受けるのは軍隊にいた人が多いと聞いた。軍隊で受けた訓練、軍隊で得た経験が、民間に戻ってから役に立つ。

その他にも、見知らぬ人たちが助け合う、力を貸してくれるのを、私自身アメリカで何度も経験した。もちろん同じようなことは日本でも起こる。アメリカの友人は親切な日本人に助けてもらってみな感激する。世界中どこへ行っても親切な人はいる。しかし一見個人が勝手に動き、社会がバラバラで犯罪が多く相互の信頼に欠けると言われるアメリカで、実は他人同士がごく自然に助け合うというのは、ちょっと意外かもしれない。

レッツ・ロール

見知らぬ者同士が困難に遭遇したときに力を合わせて対応したもっとも劇的な例は、9・11同時多発テロ事件でハイジャックされた四機の旅客機のうち、ペンシルヴェニア州シャンクスビルの野原に墜落したユナイテッド航空九三便（ボーイング757型）の機上で起こったできごとである。同便は九月一一日の朝八時四二分、三七人の乗客を乗せマンハッタンの対岸、ニュージャージー州ニューワーク空港をサンフランシスコへ向けて離陸してほどなく、ハイジャックされた。

九三便の乗員と乗客たちは犯人たちに隠れて管制塔や家族に連絡を取り、他に三機がハイジャックされ、すでにそのうちの二機が世界貿易センタービルの二つの棟へ、残りの一機がペンタゴンへ突っこんだことを知る。そして九三便が旋回し南へ向けて飛びはじめると、自分たちが乗った飛行機がこれからワシントンの重要施設、おそらくはホワイトハウスに突入する可能性の高いことを認識した。

九時五九分、乗員と乗客数人は操縦室のドアをこじあけて中へ入り、犯人たちの制圧を試みた。回収されたボイスレコーダーに、その時の会話や騒音が残っていた。操縦していたテロリストが機体を左右上下に激しく振って抵抗したにもかかわらず、乗員、乗客たちはひるまず戦いつづける。抵抗しきれないと悟ったテロリストたちは、ペンシルヴェニアの平原に飛行機を墜とす道を選び、一〇時三分に地面へ激突する。乗員乗客そしてテロリストの全員が命を落とした。

操縦室に突入する直前、乗客たちの何人かが「レッツ・ロール（さあ行こう）」とお互いに声をかけあったという。おそらくは互いに名前も知らなかった乗員と乗客は、自分たちが生きて帰れる望みがほとんどないことを知りながら協力してテロリストと戦った。九三便がそのまま飛んでいたら米空軍の戦闘機が撃墜することになっていたというが、彼らは軍が実力行使をする前に、ホワイトハウスが破壊され、さらに多数の人命が失われるのを防いだ。

寄付集めという奉仕

人のためにみんなのために労力を自発的に提供するのは、植民地時代以来アメリカ社会の伝統である。しかしだれでもそれができるわけではない。現代人は忙しい。時間がない。なかなか奉仕活動ができない。その代りとなるのが寄付である。だれもが寄付をする。だれもが寄付を求める。寄付集めに時間を割く。寄付をするのも求めるのも奉仕活動の一種であり、これまたアメリカ社会に深く根づく文化である。

アメリカの郊外住宅地でときどきレモネード・スタンドというものを見かける。夏のさかり、幼い女の子が自宅の前にテーブルを置いて冷たいレモネードを用意し、通りがかりの人に一杯例えば五〇セントで売る。幼い少女にレモネード・スタンドをやらせるのは、お金を稼ぐのが大変なことを身をもって経験させるためだと言う。ただ手に入ったなにがしかの金銭を少女たちが自由に使うわけでは必ずしもない。自分たちの通う学校や教会などに寄付をすることも多い。

息子二人が通った学校でしばしば行われていたのが、オークションという形の寄付である。形のうえではサザビーズのオークションと同じ。保護者ならびに保護者の呼びかけに応じた企業が提供するさまざまなものを学校で競売にかける。出品者は競りにかけるものを無償でオークションに提供する。売り上げはすべて学校のものとなる。高く売れればそれだけ寄付が増える。

オークションにかけられるもののなかにはアンドリュー・ワイエスの水彩画等本格的な美術品もあるが、なかには「自分の所属する有名テニスクラブのコート一面二時間使用権」、「ボルティモア・オリオールズの試合の切符（ボックスシート）二枚」、「コロラドの別荘二泊三日滞在の権利、往復運賃は自己負担」だの、「父兄有志によるディナー・パーティー出張サービス」などという、なかなかお金だけでは買えない凝ったアイテムもある。それぞれの親が個性的な商品やサービスを競売に出品して、学校が利益を得る。奉仕と寄付が混合している。

ちなみにオークションの売り上げは学校の奨学金の原資となる。比較的裕福な家庭の子供が通うこの学校で、高い授業料を負担しきれない家庭も多い。生徒の一〇人に一人は何らかの学資援助を受けていると聞いた。

年末には「アニュアル・ギビング」と銘打って、寄付金を募る手紙が親の手許に届く。「学校の財政を助けるために、ぜひあなたのお金を」と、寄付委員会の父兄が訴える。寄付の額に応じてランクづけして、翌春寄付者の名前と額が発表される。私たちの在籍したある年には、八七パーセントの父兄が平均五〇〇〇ドル近く寄付をした。

文化としての寄付

寄付はいろいろな形で広く活発に行われている。政治献金や母校への寄付、あるいは教会での献金などがもっとも一般的だ。母校からは始終、寄付を募る手紙がくる。大学の学長や教会の牧師は寄付集めが主たる仕事であるようにさえ見える。特に自分とは関係がなくても、消防士や警察官の互助組合、難病患者の団体など、あらゆる団体から寄付の依頼が届く。

寄付するのはお金に限らない。フードバンクといって家庭で余った缶詰や瓶詰めの食品、パンやパスタなど腐らないものを教会など一カ所に集め、日曜日にそれを貧しい人に配るのも、奉仕と寄付の混合形態である。

こうした寄付の依頼は、日本人の感覚からするとかなり攻撃的だ。母校に寄付するのは卒業生としての義務だといわんばかりの口調である。ただし寄付をすると恩典がある。非常に大きな額の寄付をすれば、そのお金で建てられた建物に寄付者の名前をつけてくれる。多額であれば教室に名前が、それ以下でも戸外のベンチやレンガひとつ一つに名前を彫ってくれる。自分が卒業した学校の維持に労力を提供できないのならば、寄付で参加してほしい。そうしてこそこの学校はあなたの学校であり続けるのですよ、と言わんばかりである。

最近は日本でもずいぶん盛んになったが、アメリカ社会の寄付文化は日本の比ではない。二〇一七年の「寄付白書」によれば、二〇一六年の日本人（個人）の寄付総額はおよそ七七六〇億円（名目GDPの〇・一四パーセント）、アメリカ人は約三〇兆六六〇〇億円（名目GDPの一・四四パーセント）だから、金額で日本人はアメリカ人の二・五パーセント、GDP比では一〇パーセントに満たない[1]。

また日本では法人の寄付が個人による寄付より多いのに対し、アメリカでは個人の寄付が法人の寄付よりはるかに多いのも顕著な違いである。総務省統計局、国税庁の数字によれば、日本で二〇〇七年に個人の寄付が一九・一パーセント、法人の寄付が八〇・九パーセント（財団は実質ゼロ）であったのに対し、アメリカでは二〇〇八年に個人の寄付が八一・九パーセント、残りを法人（六パーセント）と財団（一三パーセント）が占めていて、比率が全く逆である[2]。

これでも東日本大震災を機に、日本でも個人の寄付が大幅に増えたのだそうだ。寄付白書によれば、二〇一一年には一時的に個人寄付総額が一兆円を上回った。それ以後二〇一六年まで毎年一貫して二〇一〇年以前の各年の総額を超えている。[3]

ちなみに韓国人は日本人より少ない六七四〇億円（名目GDPの〇・五〇パーセント）、イギリス人は一兆五〇四〇億円（名目GDPの〇・五四パーセント）であるから、それぞれの経済規模を勘案すれば日本人より相当頑張っている。[4] それでもアメリカ国民には到底かなわない。アメリカ人の寄付額が日本だけでなくキリスト教徒の多い韓国や歴史や伝統、文化を共有しているイギリスをも圧倒していること。これもまた個人主義の国アメリカの別の一面である。

いったいどうしてアメリカではこんなに寄付が盛んなのか。ある友人のアメリカ人によれば、ユダヤ教とキリスト教には聖書の教えに従って各個人が収入の一〇分の一を教会に支払う、Tithe（タイス）という伝統があるそうだ。もともとは強制的に教会が課す税金のようなものであったのが、のちに貧しい人、困った同胞を助けるための喜捨として自発的に支払うようになったという。現代のアメリカでは個人が特定の教会の支配下にはないものの、収入の一〇分の一を慈善のために差し出すというタイスの伝統が今でも生きているのではないか。それが彼の仮説であった。確かにこの国の寄付文化の背景には宗教がある。

このことを裏付けるように、アメリカで寄付をするのは必ずしも所得の高い人ばかりではない。私の秘書をつとめてくれた実直な婦人とその夫君の連邦公務員のように、それほど収入が多くない人でも、毎年かなりの額の寄付を行う。彼らには寄付を行う義務感、倫理観があるように感じた。

寄付文化の背景には、もう一つ寄付をうながす税制度がある。日本の税制にも寄付金控除制度があるけれども、基準が厳しくて控除が受けられる寄付の対象が一定の資格を有する団体に限られている。非営利団体ならどこへ寄付しても控除を受けられるわけではない。対照的に、アメリカの非営利団体はほとんどが寄付金控除対象団体の資格を取得しているので、納税者は寄付した金額を自己申告し寄付先の受領書を添付すれば、まず問題なく控除を受けられる。このためアメリカの納税者は気軽に寄付をして、その分控除を受けられる。

当然ながらこの制度をもっとも有効に使うのは富裕層である。彼らはそもそも政府に税金を取られたくないという気持ちが強い。多額の税金を支払っても、どこで何に使われるかわからない。それなら自分が大事と思う社会的な運動に寄付したほうが、ずっといい。そのうえ富裕層の限界所得税率は高いから寄付金控除も多額になる。寄付をして控除を受けない手はない。ビル・ゲーツやジミー・バフェット、古くはカーネギーやロックフェラーが多額の寄付をする背景には、そうした事情がある。

このため経済学者のなかには、アメリカの寛大な寄付控除の制度は必ずしもいいことばかりでないと主張する者がいる。富裕層に寄付控除を認めると、政府の税収総額が大きく減る。国防費、教育費、社会保障費は、その分相対的にそれほど富裕ではない人の税金でまかなわねばならない。彼らも寄付控除を受けられるが、税率が低いからそれほど控除を取れない。これは不公平ではないか。一理あるように思われる。

ただ富裕層の寄付がなかったら今日ワシントンのスミソニアン博物館は存在しなかったし（ただし

スミソニアンは英国人）、ニューヨークのカーネギーホールで開かれる演奏会にも行けなかった。カーネギーが力を入れたアメリカの各地にある公共図書館も生まれなかった。スタンフォード、ヴァンダービルト、デューク、カーネギー・メロンといった一流の大学は創設されず、ロックフェラー財団による世界中の学術研究支援や奨学生制度は生まれなかった。

アメリカの奉仕文化、寄付文化は、どこかで大きな政府を好まない伝統に関係している。政府は国防、治安維持といった最小限の役割さえ果たせばよい。多額の税金をとって福祉や教育、芸術といった本来自分たちでやるべきことにまで関与するのを期待しない。むしろ嫌う。国民の生きがいなどに政府は口を出してほしくない。だれにも強制されることなく、個人が自ら貢献できる身近な分野を選び、労力や資金を提供する。それが奉仕であり寄付である。

アメリカでも連邦政府は二〇世紀半ば以降巨大になり、福祉国家の実現に努力を傾注してきた。日本と同様、連邦政府の支出で最大の割合を占めるのは社会保障関係の費目であり、国防費の総額をはるかに凌駕している。オバマケアをふくめ今のアメリカで連邦政府の公的年金や医療保険がなければ、低所得者の多くはやっていけないだろう。

しかしそれでも、増税はいやだ、政府の介入はいやだ。できる限り自分たちの手で、奉仕活動や寄付によって教育や文化を支えていきたい。こうした主張も、わがままなアメリカ、助け合うアメリカの一面であることを、我々はとかく忘れがちである。

註

（1）日本ファンドレイジング協会「寄付白書二〇一七年」日本の寄付市場の推移、https://jfra.jp/wp/wp-content/uploads/2017/12/2017kifuhakusho-infographic.pdf

（2）内閣府ＮＰＯホームページ「寄附金の国際比較」、https://www.npo-homepage.go.jp/kifu/kifu-shirou/kifu-hikaku

（3）前掲「寄付白書二〇一七年」。

（4）同上。

第4章　孤独なアメリカ、群れるアメリカ

Old friends
Old friends
Sat on their park bench like bookends
A newspaper blown through the grass
Falls on the round toes
Of the high shoes
Of the old friends

Simon & Garfunkel（Paul Simon）, Old Friends.

1　寂しい人たち

お上のない国

個人主義的であり時としてわがままで勝手なアメリカ人が、同時に見知らぬ人と力を合わせて働く。共に困難に立ち向かう。困った人を見かけると進んで手を差しのべる。どうして自分の利益を優先するアメリカ人が、他人のためにみんなのために力を尽くすのだろうか。

個人主義的なアメリカ人が互いに助け合うのは、アメリカの歴史を通じ現在に至るまで困った時に助けになる官が存在しなかった、あるいは存在してもあまり頼りにならなかった、という背景があるからである。対照的に現代の日本人はあらゆることで政府に頼り、何か問題が起こると政府のせいにする。老人が倒れれば救急車を呼び、ゴミが散乱していると市の清掃担当部局、水が出なければ水道局に電話する。食中毒が起これば保健所の検査が手ぬるいと文句を言い、学校でいじめが起これば教育委員会の指導不行き届きだと責める。教育、安全、公衆衛生などにかかわる公共のサービスは官が提供するのが当たり前だと思っている。なにせ桜の開花も梅雨入りも、官が宣言する国である。

しかしアメリカではそうでない。例えばアリゾナやテキサスの乾燥地帯に点在する牧場を訪れれば、もっとも近い町まで三〇キロ、四〇キロ、あるいはそれ以上ある。いざというとき警察に電話しても間に合わない。自分の力でなんとかするしかない。

官が存在しないあるいは頼りにならなければ、公のことはまず自分たちで解決しようとする気風が育まれる。学校がなければ自分で子供を教育する。軍隊がなければ武器を執って自ら戦う。警察が頼りにならなければ自警団をつくって自分たちの村や町を守る。もちろん現代のアメリカには立派な官が存在するのだが、政府には過大に依存せず自分たちでできることは自分たちでやる。

幌馬車隊の憲法

政府が存在しない新しい土地で人々が協力しあって公のことがらにあたるのは、アメリカ特有の現象だろう。第二章で紹介した歴史家ブアスティンは『アメリカ人』の一冊『国民の経験』のなかで、西部開拓時代、幌馬車隊が西へ向かって出発する際につくられた自治組織について述べている。

東海岸に設立された植民地からアパラチア山脈を越えてさらに西の土地を目指す移住は、一七世紀半ばから絶え間なく続いた。とりわけ一九世紀半ばカリフォルニアで金が発見されゴールドラッシュが起きると、人々の大移動が起こる。多くの人が南米大陸南端もしくはパナマ地峡経由の海路、またはロッキー山脈を越える陸路で向かった。

陸路の場合、東海岸の港に到着したばかりの外国からの移民もふくめ、彼らは東部の主要都市からミズーリ州のセントルイス、インディペンデンス、カンザスシティーといった集結地まで列車や川船で移動する。そこで金採掘の道具や農具、生活用品そして食料を買いそろえ、馬車（あるいは牛車）を入手して一切合財を積みこみ、同じ志をもつ人々と一緒に幌馬車隊を仕立てて西へ向かって出発する。

これらの町の外には手つかずの原野が広がっていた。そこに政府はなく法律もなく、法律を執行し治安を維持し安全を確保する官の組織が何もない。人々は協力し互いを律しあって、カリフォルニアまでの危険な陸路の旅を半年近く続けねばならない。そこで幌馬車隊は町を出てすぐに一旦前進を止め、円陣を組む。今後の幌馬車隊運営について自治組織を設立しルールを定め、指導者を選出するためである。

彼らはまず幌馬車隊の基本ルール、いわば憲法といくつかの基本法を採択する。記録によればその多くは連邦憲法を模したものであった。共通の問題は原則として成員の多数で決めること、特に重要なことは三分の二の賛成多数で決めること、執行役員を選出すること、役員の任期、各種決定への不服申立ての仕組み、陪審裁判によるルール違反者の審判と処罰の方法など、共同体の組織と仕組みについて細かく定めていた。これらの規定に従ってキャプテンすなわち幌馬車隊の最高執行責任者に加えて、財務担当者、防衛担当者などを投票で選ぶ。

前日まで互いに見も知らずの他人であった人々が、西へ向かうという共通の目的ゆえにこうして集合し、憲法を採択し、いわば小さな国家を創設する。しかもこのミニ国家は目的地に着いて使命を果たしたとたんに解散し、人々は再びバラバラになる。それ以後関係を保つことは特にない。公の組織をつくりながら、それにしばられ続けることもない。

アメリカでは政府はすでにあるのではなく、必要に応じて作るものである。メイフラワーで海を渡り新大陸到着後上陸前に誓約へ署名したピルグリムたち。定住した土地で人々が集まり自治の仕組みを整えたニューイングランドの住民たち。出発にあたって幌馬車隊を構成し基本ルールを制定してカリフォルニアをめざした西部の開拓者たち。ブアスティンはアメリカの人々がこの過程を何度も繰返してきた、アメリカでは「公共の課題にあたり社会秩序を維持する政府の創設より前に共同体が存在した」と述べている（Boorstin 2 1965）。他人社会を維持しながら必要に応じて自分たちで公のことにあたる生き方を、彼らはその歴史を通じて培ってきた。

無力なアメリカ人

アメリカ人が互いに助け合い共通の問題に立ち向かうのは、逆説的ではあるが個人がバラバラでひとり一人が無力であるからかもしれない。

ヨーロッパや日本など歴史の長い社会では、大都会はともかく地方には古くて固い絆があり、しきたりがある。人々は共同体のなかで自分が占める位置を本能的に知っている。そうした絆は時に安心の根源であり、また窮屈の原因でもある。

対照的に、植民地時代初期にまでさかのぼるニューイングランドの古い町や、昔から余り変化のない南部の共同体を除いて、アメリカの大多数の地域には長い時間の経過によって育まれた伝統や固定的な人間関係がない。少なくとも希薄である。方々からやってきた人種も背景も違う人が、たまたま同じ住宅地に住み一緒に仕事をする。基本的にアメリカは他人社会なのである。日本のような義理と人情の社会ではない。

夏目漱石の『草枕』冒頭に、「とかくに人の世は住みにくい」という、有名な記述がある。

「住みにくさが高じると、安い所へ引き越したくなる。どこへ越しても住みにくいと悟った時、詩が生れて、画が出来る。人の世を作ったものは神でもなければ鬼でもない。やはり向う三軒両隣にちらちらするただの人である。ただの人が作った人の世が住みにくいからとて、越す国はあるまい。あれば人でなしの国へ行くばかりだ。人でなしの国は人の世よりもなお住みにくかろう」（夏目二〇〇五）。

一方、アメリカ西部劇映画の古典『シェーン』では、開拓時代ワイオミングの大地の真ん中にひっそりと住む開拓農民の家に、ある日流れ者シェーンが現れ住み着いて仕事を手伝う。その家の男の子ジョーイはシェーンに憧れ仲良くなり、農民の妻もシェーンに惹かれる。農民とその仲間たちを暴力で追い出そうとする悪徳牧畜業者を銃撃戦で倒し自らも傷ついたシェーンは、ジョーイが「帰ってきてシェーン」と叫ぶ声をふり切り山へ向かってその場を馬で去る。去る理由を映画は明らかにしていないが、自分がいることで農民の家庭を壊すことを恐れたという風にもとれる。

『草枕』で漱石が、「住みにくいからとて、越す国はあるまい」と述べるのに対し、『シェーン』のなかでは夫、妻、そして男の子からなる家族のなかで難しい立場に立った主人公が、そこを去ることによって関係を切る。

そういえば、漱石の小説『それから』、『門』、近松門左衛門の人形浄瑠璃『冥土の飛脚』や『曽根崎心中』など、日本の物語は逃れようのない難しい人間関係のなかでどう身を処するか。多くがそれを主題にしている。それに対して、ウィリアム・サローヤンやフィリップ・ロスの短編、スコット・フィッツジェラルドの『グレート・ギャッツビー』などアメリカの小説は、自分が誰でどこに属すのかを探し求めるのを主題にする傾向があるように思われる。

他人社会で生きるアメリカ人は寂しい。ニューヨークやワシントンの郊外、家と家との距離が優に五〇メートルはあるような林のなかの高級住宅地で、住民たちはほとんど顔を合わせることがない。あれは開拓時代の森の生活の模倣だろうか、いったん戸内に入ってしまえば家のなかの様子は外からまったくわからない。日本のように隣の家で焼くサンマの匂いが漂ってくるなんてことはない。あんな家のなかで歳を取っていったら、さぞ孤独だろうと思う。

実際、アメリカの老人はひどく寂しそうである。冒頭に挙げたサイモンとガーファンクルの『年老いた友人たち（Old Friends）』という曲に描かれる、初冬の朝まるで本棚のブックエンドのように無表情で公園のベンチに座る年老いた男たちの姿。「我々自身がいつか七〇歳になるというのは、なんて奇妙な感覚なのだろう、想像もできない」という歌詞自体が、寂寥感に満ちている。

ノンフィクション作家桐島洋子も著書『淋しいアメリカ人』のなかで、カリフォルニア滞在中に出会った孤独なアメリカ人の姿を描く。乱交パーティーに参加し性欲よりもむしろ人との心のつながりを求める男女たち。養子を迎えて育てることによって一人で生きていく孤独感を解消する独身女性。

患者の心の悩みを聴いて相談に乗るのが職業であるのに本人が本当の自由と友情に飢え、たまたま空いた自分の診療時間を自分のために予約して桐島を相手に心の悩みを打ち明ける精神科医。払暁の長距離バスターミナル、そのカフェテリアで何も注文せず、革のズダ袋からゆで卵、リンゴ、手製のパンケーキそして魔法瓶に入ったお茶を取り出し、一人で朝食を取る魔法使いのような老婆。

アメリカ人は寂しい。寂しいからかえって人とつながりたいと思う。そこで他人同士が同じ人種、同じ宗教、同じ趣味、同じ政治信条でまとまり、一緒に活動する。みんなの世界を自分たちでつくり、みんなのために力を尽くす。

クリスマスの贈り物

他人社会で寂しい人々は、だからこそ他の人とつながり一緒に行動する。公の仕事を自発的に行う。しかし歴史的には人手がいつも不足しており政府の力が弱かったアメリカでは、それだけでは共通の仕事をこなし切れない。そこで公の役割を市民に強制的に行わせる仕組みが発達した。

その伝統を受けて今日のアメリカにも、市民ひとり一人に公の役目を負担させる仕組みがいろいろある。陪審制度はその最もよく知られたものだが、他にも市民の投票で選ばれた委員が地域の教育内容を監督する教育委員会制度。一九七〇年代まで存在した徴兵制。週末など限られた期間だけ訓練に参加して普段は民間の仕事をし、いざという時に召集される予備役軍人の制度。すべての国民による税金の自己申告制度。法曹資格を有する民間のロイヤーがつとめるパートタイム判事。使い勝手のよい税法上の寄付金控除制度など、「民」に「公」の役割を課しまた促す仕組みがある。

なかでもユニークなのは、他者への奉仕を刑罰の代りに用いる仕組みである。ヴァージニア大学のロースクールに研究員として一年籍を置いた時、地元シャーロッツビルに所在する州簡易裁判所の親切な判事に頼んで実際の裁判を半日傍聴させてもらった。軽犯罪法違反事件を審理する日だったのだが、そのなかにまだ学生らしい若者が販売用に並べられたクリスマスツリーを盗んだ事案があった。単なるいたずらが過ぎたのかもしれないが、れっきとした犯罪であり実刑もありうる。傍聴席では親が心配そうに判事の判断を待つ。

弁護人から事情を聞いた判事は、"I have an idea"「いい考えがある」と言って、にっこりした。

「執行猶予にしてあげるから、今年のクリスマスの前にツリーを山から一二本伐りだして老人ホームに届けなさい。届けたツリーごとに受け取りをもらってくるんだよ。全部で一二枚、私のところへ持って来たら前科なしにしてやるが、どうだい」。

本人がこれを了承し一件落着。両親もほっとしている。翌年クリスマスのあとで判事に会う機会があり、どうだったと訊いたら、「いや、一二本ツリーを配ってちゃんと受け取りをもってきたから、罪を帳消しにしてやった」という答えであった。

それほど深刻ではない犯罪を犯した者に対し、社会奉仕活動（これを「コミュニティ・サービス」と呼ぶ）を課し、他人からものを奪うのではなく人に与える経験をさせる。アメリカの裁判所では実刑や罰金の代替あるいは補完手段として広く用いられている。

コミュニティ・サービスは中学や高校のカリキュラムとしても採用されている。老人ホームの訪問や介護の手伝いなど、ティーンエージャーでもできることをする。大学への入学者選抜の際には、進学希望者の携わったコミュニティ・サービスの多寡や質が評価に用いられる。

一方法律事務所では、事務所の承認を得て貧しい人や非営利団体のために無料で弁護人や代理人を引き受ける「プロボノ」という制度があり、これもまたコミュニティ・サービスの一種だろう。私の属した事務所では、ハイチから小舟で海を超えアメリカへ密入国しようとして捕まり強制送還される不法移民の弁護人、差別を受けたエイズ患者の訴訟代理人などを、プロボノで引き受けていた。個人主義の国アメリカで、他人のために力を貸すことを周囲も社会も高く評価する。

「他人」社会と「うちそと」社会

アメリカで訴訟が頻発するのは、他人社会だからだとよく言われる。周りが他人ばかりだからアメリカ人はお互いに信用しない。あらゆる取引でロイヤーを雇って交渉をし詳細な契約を結ぶ。何か問題が起こるとすぐ訴訟を起こす。その結果驚くほど多くのロイヤーがはびこっている。そのロイヤーがまた訴訟をそそのかす。世の中がぎすぎすする。

それに比べて日本では取引の当事者が信義誠実の原則に従って相手の信頼を裏切らないように行動

するから、たいていうまく行く。訴訟にはなりにくい。訴訟社会アメリカと比較して日本は信頼社会である。アメリカについてのこうしたネガティブなイメージが、わが国で存外広く流布している。

他人社会アメリカにロイヤーが多く訴訟が多いのはそのとおりである。それゆえの弊害は大きく、アメリカでも問題になっている。しかし本当にアメリカ人はお互いを信用しないのだろうか。信頼関係を築かないのだろうか。

社会心理学者の故山岸俊男教授は自著のなかで、実は日本は信頼社会ではなくて安心社会なのだと論じた（山岸 一九九九）。日本では長いつきあいを通じて信頼できると判断した人だけと商売をする。相手はすでに「うちわ」の人間だから裏切られる心配がない。細かい契約書など交わさなくていい。家族、友人、親の代からつきあっているような人が集まるこの「うちわ」のなかには、絶対の安心がある。その外にいる者とはなるべくつきあわず取引しない。

問題はこの「うちわ」の世界があまりにも居心地がよくてその外に出る経験が少ないので、いざ外の人間と取引をしようと思うと誰を信用すべきか、判断の尺度がないことである。誰を信頼すべきか信用してはいけないのかがわからないから、かえって簡単に騙される。

対照的に他人社会で生きるアメリカ人は、毎日見知らぬ人と会い仕事をし取引をしている。相手が信頼できるかどうか常に判断を強いられる。この人に金を貸して大丈夫か、この人を家に泊めて大丈夫か、この人と一緒にビジネスをして大丈夫かを、瞬時に判断せねばならない。もちろん判断を誤ることはたびたびあるが、毎日やっているうちに経験が蓄積され概ね正しい判断ができるようになる。

信頼できると判断すればまったく見知らぬ人とでも取引をするし、家にも泊める。

山岸教授は社会心理学の手法を使って、アメリカ人と日本人の信頼能力を計る実験を行った。その結果によれば、まったく情報がなくても相手を信頼して金銭を預ける人の割合、しかもそうして金を預けた人物が信頼するに足る相手であった割合は、共にアメリカ人の方が日本人よりも高かった。この実験結果は多くのアメリカ人が思い切って相手を信用するというリスクを取り、しかもその直感がしばしば正しいことを意味しているという。

私の経験からもこの結果はうなずける。アメリカを旅行していて少し会話を交わしただけで、見も知らぬ人にうちへ泊まれと言われたことが何度かある。アメリカ人は気楽に見知らぬ人を家に泊めるなあと思ったのだが、おそらくそれなりに私が信用できると判断したのだろう。日本人は赤の他人をうちに泊めるなど、まずしない。他人を直感で信用するというリスクは取らない。もっとも出会ったばかりの他人からうちに泊まれと言われた側も、泊まって大丈夫かどうかを判断せねばならない。

人を信用できるかどうか常に判断しているアメリカのほうが信頼社会であって、日本は単に「うちわ」の世界に安住しているだけだから安心社会にしか過ぎない。他人が信頼できるかどうか判断する能力が実は低い。山岸教授はもっと信頼能力を高めねば世界で生きていけないと説いた。

取引は腕の長さで

山岸教授はこうして、他人社会で生きるアメリカ人の方が他人を信用できるかどうかを判断する能力が日本人より高いという結論に至った。おそらく異論もあるだろう。ただそうだとしても、他人社会で生きていくのは楽でない。相手が信用できるかどうかの判断を常に強いられる。しかも自分で判断せねばならない。他人に任せるわけにはいかない。孤独である。そしてきつい。

またビジネスでも社交でも相手を信頼できるか判断し評価する時には、実は自分自身の判断力と信頼性を試されてもいる。したがって判断力があり信用できる人物であることを、自らアピールし続けねばならない。アメリカ人がより高い学位や資格を取りたがるのは、自分をよく知る人が周りにほとんどいない環境でそうした学位や資格が信用の基準にある程度なるからだろう。同様にアメリカでクレジットカードが手放せないのは、ただ単に便利だからではない。クレジットカードは「クレジット」、すなわち「信用」を担保してくれる。

もちろんアメリカ人も判断を間違える。他人社会で人とつきあい取引をするのは常にリスクをともない、しばしば紛争が生じる。もともとお互いに他人だから、親戚やら地域の長老に調停を頼むわけにもいかない。どうしても訴訟になる。そのためにはロイヤーを雇わねばならない。そうならないためには取引をする前にあらかじめ優秀なロイヤーを雇って、詳細な契約書をつくっておかねばならない。ややこしい。疲れる。

ただし山岸教授は、「自分の判断がまちがっていたために紛争が起きても、ロイヤーを雇い裁判所に訴訟を提起して争うことができるからこそ、アメリカ人は他人と取引をするリスクを取るのではないですか」と、自著について私と雑誌で対談したときに述べられた(1)。そうかもしれない。

確かに見知らぬ者同士がそのハンディにもかかわらず対等で公正な取引を行うには、親子、親戚、長年のつきあい、同郷といった「うちわ」の論理を越える客観的で明確なルールが必要である。不正が行われ紛争が生じたときに賠償を求めるための救済システムが要る。それが法律であり訴訟であり、ロイヤーの果たすべき役割である。

アメリカでロイヤーとして働いている時に、"arm's length transaction"ということばにしばしば出会った。文字どおり訳せば、「腕の長さの取引」。その意味するところは、取引は対面する二人の人がそれぞれ手を伸ばして指の先がわずかに触れる程度の距離で行うべしという原則である。

逆にいえば、それ以上密接な距離で取引をすべきではない。すなわち家族や出身地、資本関係などに起因する特別のコネ、支配力、義理人情などにしばられず、まったくの他人同士でも公正な取引ができるようにする。他人社会であればこそ特定の人のみが特定の関係によって取引を行う機会を与えられ、恩恵を受けてはならない。あくまでも提供する財やサービスの質と価格によって、すべての人が独立の立場で公平なビジネスチャンスを与えられねばならない。これぞアメリカという他人社会における取引関係の根本原則である。この原則を規定する法律が網の目のように張りめぐらされていて、違反すれば巨額の賠償金支払いなど厳しい制裁を受ける。

他人社会が公平に円滑に機能するためには、それなりのルールと仕組みが必要である。それを守って生きていくのは楽でないし、色々欠点もある。不正もある。「とかく人の世は住みにくい」と漱石は言うけれど、それでも「うちわ」社会の方が居心地はいいだろう。少なくとも「うちわ」社会はそんなに寂しくない。

グローバル化が急速に進む今日の世界は、全体が一つの大きな他人社会になっている。好き嫌いは別としてそこで生きぬくためには、アメリカ人が歴史を通じて蓄積してきた他人社会での経験が存外貴重であるように思われる。

2 万次郎と諭吉の見た個人の国

個人であること

よくも悪くも個人の国であるアメリカで、人々が他人に手を差し伸べ官の力を借りずに共同でことにあたる。建国以来訪れた多くの外国人が、個人の役割が際立つこの国についてさまざまな観察をし印象を述べている。幕末以来、日本人の渡航者もいろいろな感想を残した。

土佐沖で嵐に遭いアメリカの捕鯨船に救助され、一八四三年にアメリカ本土の土を踏んだジョン万次郎こと中濱萬次郎は、アメリカの個人が周囲に左右されず自分の信念に従って行動するのを間近で経験した。

万次郎を救った捕鯨船のホイットフィールド船長は、自分の故郷であるマサチューセッツ州フェアヘイヴンに戻ると早速彼を教会に連れて行く。ところが牧師は彼を黒人の席へ座らせるように求めた。一九世紀前半マサチューセッツの人々は比較的あからさまな人種差別をしなかったけれども、それでも黒人は多くの教会で白人と別の席に座らせられていたらしい。牧師の要請に船長は怒る。自分は万次郎を家族の一員として遇している、そんな要求をするなら去る、と言ってこの教会と縁を切った。続いて訪れたもう一つの教会でも黒人の席へ座らせるようにと言われ、ここも去る。そして万次郎が家族席に座るのを許してくれたユニタリアンの教会に所属を変えた。

この逸話は万次郎を世話したホイットフィールド船長が、人種にかかわらず万人を平等に扱う人物であったのを示している。実際船長は当時奴隷解放運動にも参加していたらしい。それでも植民地時代初期にまでさかのぼるアメリカにしては古いフェアヘイヴンの町の住民でありながら、万次郎を差別したという理由で家族の通う教会をやめてしまうのはずいぶん思い切った行動である。教会での人間関係や義理には頓着しない、自分の信念を曲げない。ホイットフィールド船長はいかにも個人の国らしい人物であった。

もちろんどんな社会でも、大衆が一時的に熱に浮かされたようになり集団で過激な行動に走ることはある。アメリカも例外ではない。古くはセイラム植民地での魔女裁判、南北戦争中のニューヨークで起きた徴兵制に反対する暴動と黒人虐殺、近くは第一次世界大戦中のロシア革命を契機に起きたロシア人、ユダヤ人に対する戦後の迫害、第二次世界大戦後のマッカーシー上院議員による赤狩りなどがあった。

しかし個人主義のアメリカでは、一〇〇人のうち九九人が右だと言っている時に一人だけ左と言いつづける人がいる。白人が黒人やアジア人を差別するのが当たり前の時代でさえ、それに同調しなかった人がいた。真珠湾攻撃の結果、西海岸での日系米人差別が激化し内陸へ強制収容されたとき、心配しないで自分の州に逃げて来いと言い日系人を温かく迎え、その結果次の選挙で落選したコロラド州の知事もいた。

一見すると日本人よりわがままで自分勝手なアメリカ人が、そのわがままゆえに他人に何と言われようと自分の信念をつらぬき公の義のために行動する。その結果国全体がかえって力をつける。パラドックスのように思えるが、自立した個人から構成されているからこそアメリカは強力で手強い。

このことを日本人としておそらく初めて直感的にとらえ、文明社会にとって何よりも重要なのは個人の自立であることを倦むことなく説いたのは、幕末アメリカへ二度、ヨーロッパに一度渡って欧米社会をつぶさに観察し、西洋の思想を書物を通じてほぼ独学で身につけた福澤諭吉である。

その著書『学問のすゝめ』の三篇、「一身独立して一国独立する事」で、福澤は「独立とは自分にて自分の身を支配し他に依りすがる心なきを言う」と説明する。

「独立の気力なき者は必ず人に依頼す、人に依頼する者は必ず人を恐る、人を恐るゝ者は必ず人に諂（へつら）うものなり。常に人を恐れ、人に諂う者は次第にこれに慣れ、その面（つら）の皮、鉄の如くなりて、恥ずべきを恥じず、論ずべきを論ぜず、人をさえ見れば唯腰を屈するのみ」。

福澤は特にアメリカについて述べているわけではない。しかしもしかするとアメリカで出会った独立の気概に満ちる個人のだれかれを、思いだしていたかもしれない。
福澤はさらに、国民ひとり一人が独立の気概をもたないかぎり日本は列強と伍していけない、植民地にされてしまうことさえありうるという、強い危機感を抱いていた。

「外国に対して我国を守らんには、自由独立の気風を全国に充満せしめ、国中の人々貴賤上下の別なく、その国を自分の身の上に引受け、智者も、愚者も目くらも目あき（ママ）も、各その国人たるの分を尽さゞるべからず」（福澤 2 二〇〇二）。

国家の独立は個人の独立を必要とする。福澤のもっとも有名なことばである「独立自尊」は、その基盤をなす考え方であった。確固とした「私」をむしろ低く見る傾向が江戸時代からあり、その傾向が昭和初期以降ますます強まった日本において、個人の独立を早くから説いた福澤は我国の思想家として希有な人物であった。

個人の自由とみんなの平等

個人主義に徹するアメリカ人が、他人に親切で協力を厭わず奉仕活動に熱心である。その背景には、バラバラで無力かつ孤独な個人が他人とつながることにより、他人社会特有の孤独感や無力感を乗り越えるようになった。公の問題に有効な対処ができる官の組織（政府）がなかったもしくは不十分であったために、見知らぬ同士の個人が協力して公のことがらにあたる必要があり、それが当然と考えられるようになった。その結果アメリカ人は私に徹し個人主義のもたらす自由を維持しながら、同時にみんなの問題、公の問題に関わり、他人のことを思いやることの重要性を理解し実行するようになった。そういった事情があるのかもしれない。

自由な個人であること、私でいられること。そうした個人が他の個人とつながりをもち公の問題の解決に共同してあたること。どちらもアメリカという社会が有する長所でありアメリカをよりよくするために欠かせない特徴であるけれども、いつもうまくいくとは限らない。自分と他人の利益が食い違えば、人は通常自分の利益を優先する。他人の利益を優先することは滅多にない。平等を唱えるのは多くの場合それが自分の利益になるからである。他人に力を貸すのも余裕があればこそ。無理してそうさせようとすれば強い反発が起こる。

個人主義が行き過ぎれば、社会はバラバラになって全体として機能しなくなる。みんなのこと公の問題に力点を置きすぎると、社会は息苦しくなり自由が失われかねない。両者のあいだにいかなるバランスを取るべきか。両者は本当に両立するのか。それは建国以来のアメリカの根本理念である自由と平等、そのあいだにずっと存在してきた緊張関係が提起する、困難で根本的な課題である。

註

（1）「信頼をめぐる日米の逆説」『外交フォーラム』一九九九年四月号、都市出版所収。

第5章　自由なアメリカ、平等なアメリカ

Born free
As free as the wind blows
As free as the grass grows
Born free to follow your heart

John Barry and Don Black, *Born Free*.

1　自由と平等の国

建国の理念

自由と平等はアメリカ建国の理念である。トマス・ジェファソンは「人は生まれながらにして平等であり、生命、自由、幸福の追求という奪うべからざる天賦の権利を有している」という原則を、独

立宣言の冒頭に掲げた。リンカーン大統領は南北戦争中ゲティスバーグでの演説で「八七年前、我らの父祖は、自由を母とし人は生まれながらに平等であるという信条にささげられた新しい国家を、この大陸に樹立した」と述べた。

しかし自由とは何か、平等とは何かは、必ずしも明確でない。自由は平等を保障せず、平等が自由を確保するとは限らない。しかも両者はしばしば矛盾し対立する。自由が過ぎれば平等が失われ、平等が過ぎれば自由が失われる。そもそもアメリカの歴史上常に自由が保障されていたわけではなく、平等が行き渡っていたわけでもない。今でも根深い差別がある。それでもなおアメリカ人は自由と平等とのバランスを保ちつつ、その両方を同時に実現しようと努力してきた。不当な差別をなくそうとつとめてきた。

自由なアメリカ

現代のアメリカは比較的自由な国であり、少なくとも法律的には人々の平等が保障されている国でもある。もし自分は自由でない、平等な待遇を受けていない、何かが間違っていると思えば、だれでも自由を侵害し平等を損なう政府や企業に対して、あるいは他人に向かって遠慮なしに文句が言える。法律に照らして訴訟を起こし賠償を求めることが可能だし、しばしば主張が認められる。世界にはそれができない国がたくさんある。

アメリカの自由さは、日本人にはすぐに感じられないかもしれない。一つには英語が苦手だからだろう。私自身、交換留学生としてはじめてアメリカ本土に到着したとき右も左もわからず、ことばが通じないという大きな不自由を味わった。言論の自由、信教の自由、結社の自由といっても、ことばがわからなければ何の意味もない。日本にいたほうが何倍も楽だ自由だと思った記憶がある。

けれどもしばらくアメリカで暮らして生活に慣れ英語もそれほど不自由でなくなると、この国の自由が心地よくなってくる。まったくの他人とごく気さくに話ができる。ものごとはしばしばうまくいかないが、そういう時は気兼ねせずに文句を言える。相当きついことを言い合っても、あとに引きずらない。無理に他人とつきあう必要はない。誘われてもことわればいい。一人でいたければ誰もじゃましない。

留学が終わって日本へ帰った時、多少窮屈に感じた。この国では常に他人との距離を測り、相手によって状況に応じてことばづかいを変えねばならない。こんなことを言ったらまずいのでは、と口に出すのをためらう。言えば言ったで気を悪くしたのではないかと気をもむ。だから発言がオブラートに包まれたようになる。イエス、ノーがはっきりしない。いつもお互いに忖度しながら暮らしている。アメリカで忖度する人は稀である。

自由と自立

しかし忖度が期待できないのは、自分の要求を明確に、詳しく、しつこく、何度も相手に伝えねばならないということでもある。伝えなければ何も起こらない。日本人には、これはこれでけっこう負担になる。

会社からロサンゼルスへ転勤を命じられた弟は、ある時「アメリカでは朝食のときさえ決断を迫られる」と私にぼやいた。ホテルのレストランで席につき、メニューを見てスタンダードな朝食（フル・ブレックファストと呼ばれる）を注文すると、ウェイターから立てつづけに質問される。まずはコーヒーにするかティーにするか。コーヒーと答えるとカフェインありかなしか。ブラックか否か。ブラックでないならクリーム、ハーフアンドハーフ（クリームとミルク半々）、普通のミルク、低脂肪ミルク、無脂肪ミルクのどれにするか。

続けてジュースは何にするか、卵はどう調理するか、パンはトースト、マフィン、ペーストリー、ベーグル。トーストならば白パンか、ライ麦パンか、全粒粉のパンか。ベーグルだったらクリームチーズとスモーク・サーモンは要るか。「いちいち答えていると、食べる前に疲れちゃうよ」と弟。アメリカ人もさすがにフル・ブレックファストは面倒なようで、最近は高級ホテルでもビュッフェ形式が多い。

アメリカのロースクールで必修科目の一つである契約法を履修した時、コンセクエンシャル・ダメジという概念を教わった。日本語では派生損害と訳すようだ。この概念を理解するために、ハドリー対バクセンデール事件という一八五四年に英国財務府裁判所（Court of Exchequer）が下した判決を読まされた。契約法の授業でほぼ必ず読まされる有名な判例である[1]。

英国南西部グロースターの町で粉屋を営んでいた原告のハドリーは、ある日製粉機を動かす蒸気エンジンのクランクシャフトが折れたので、ロンドン郊外グリニッジのメーカーに壊れたシャフトを送って代替品の製造を依頼した。ところが運送業者のバクセンデールが鉄道で送るべきところを誤ってはしけに載せ運河で運んだため、ハドリーが指定した期日までに配達されず、代替品の製造と配達が遅れた。ハドリーはバクセンデールを相手取って訴訟を提起し、契約違反を理由に賠償を求めた。

期日までにシャフトを届けられなかったのだからバクセンデールの契約違反は明らかであり、ハドリーは賠償を受ける権利がある。問題は賠償の内容である。メーカーのシャフト受領遅延が原因で代替品製造と配達が遅れ、その間製粉機を稼働できなかった。もし製粉機を当初の予定どおり動かせていたら得たはずの利益（逸失利益）の額を賠償にふくむべきだとハドリーは主張。一方バクセンデールは、そこまでの責任はない、賠償はハドリーが支払った輸送運賃の額に限定すべきだと反論した。

この事件を裁いた判事はバクセンデールの主張に軍配を挙げた。確かにハドリーは代替シャフト到着が遅れた日数分の得べかりし利益を失った。しかしバクセンデールは運送を引き受けた時にそうなることを知らなかったし予見もできなかった。もし契約不履行により発生する締結時には予見不可能な逸失利益まで賠償せねばならないとするなら、運送業者はそのリスクに備えるために運賃をより高く設定しておく必要があり、それは通常の経済活動を阻害する。予め定めた期日までの配達ができない場合利益を失うという特別な事情があるのであれば、ハドリーもそのことをバクセンデールに予め報せて、そのうえで契約を結ぶべきだった。判事はこう理屈づけた。

ロースクールの授業でこの判決内容をめぐり教授と学生が問答をした時に、学生の一人が手を挙げ、

「つまり、自分の要求をきちんと聴いてほしかったら、立ち上がって叫べ（Stand up and Scream）ってことですね」と言った。契約法の教授がこれを気に入って、以後我々は派生損害に関するStand up and Screamの法則と呼ぶようになった。

理屈はともかく、アメリカ社会では何らかの特別の要求があるときは必ずそれを相手に伝えなくてはならない。そうしない限り何も起こらないことを、生活上の体験に加えて判例法上の法則としても嚙み締めた。新約聖書『マタイによる福音書』第七章七節の「求めよ、さらば与えられん」というイエスのことばは「求めずば、何も与えられず」のことだった。

気さくさと平等

アメリカ社会は他人との関係があっさりしていて、過大な依存関係が生じにくい。自分のことは自分でやる。基本的に自己責任で活動する。その結果、人との関係は気取らず遠慮をしないですむ。率直に好きなこと思ったことが言える。自由である。そしてこの自由は人々が平等であり対等であることと、どこかで関係している。

すでに述べたとおり、そもそもアメリカ人はお互いに他人、よそものである。しかもアメリカは何世代にもわたって築かれた階級、家柄、身分のたぐいが原則としてない社会だから、仕事で社交で初めて会う人はすべて自分と対等だという前提で接するしかない。だから初対面の人とも気楽に親しげに握手を交わす。相手が自分より上位なのか、あるいは下位なのか、などとはことさらに詮索しない。

余計な気を使わない。

　もっとも実のところ、明白な階級、家柄、身分はなくても、代りに人種、学歴、資格、収入、居住地、方言やなまりなど、人を判断する目に見えない総合的な指標のようなものはアメリカ社会にもある。初めて会った人にこれらの指標をあてはめて評価をしている。ただしその評価は口にしない。態度に表わさない。それはタブーである。少くとも表向きにはあくまで対等である。

　他人同士対等に振る舞うのが当然であるのを強く感じさせるのは、お互いにファーストネームで呼び合うという習慣である。初対面同士自己紹介する時さえ、そうする。「こんにちは、ジョンです」、「こんにちは、ジェーンです。よろしく」。これだけ。そしてすぐに「ジェーン、こちら僕の同僚のボブだ」、「こんにちはボブ。例の物件のことだけれど」と、すぐ仕事の話を始める。年齢や人種、所属など、まったく関係ない。

　最初アメリカへ渡った時、誰に対してもファーストネームで呼びかけるという慣習になかなか親しめなかった。はるかに目上の人を「ジョン」だの、「ピーター」などと呼ぶのには特に抵抗があった。「ジョンと呼んでくれたまえ」と同じ事務所の筆頭パートナーに言われても、「はい、ミスター・コーヘン」と返事をしてしまう。「君、ミスター・コーヘンは僕の親父のことだよ、ジョンと呼んでくれたまえ」、「はいわかりました、ミスター・コーヘン」といった具合である。

　対照的に、日本社会ではお互いに相手との距離感・上下感を常に計り合って暮らしているように思う。初対面の時には相手が自分より目上なのかどうかを判断しないと、使うことばさえ決められない。

だからこそ名刺の交換が重要なのだろう。

　アメリカ社会は人と人との上下関係、血縁関係、職場の関係などにあまりしばられない。人々は基本的にお互いに対等であり平等である。しかし自由であるためには自主独立を求められるのと同様、平等であるにも個々人が平等の名に値する力をもっていることを常に試される。さもないとスタート地点にさえ立てない。差別されがちな少数派の人間は、自分の実力を過剰なほど明瞭に示すことによって対等の立場に立ち平等な対応をかちとってきた。人との関係、距離を常に計りそれが明確になって初めてほっとする日本人にとって、平等であるのも存外疲れる。

2　差別するアメリカ

奴隷制度が残したもの

　アメリカは自由だ。アメリカは平等だ。そう述べたが、本当にそうなのだろうか。アメリカはその歴史を通じて、自由と平等を目指してきたし、ある程度実現してもきた。しかし歴史的にはそうでない時期が長くあった。いや今でもそうでないという声がある。

　自由と平等を旨とするアメリカの歴史にとって、最大の矛盾は奴隷の存在であった。その歴史は北米大陸へのイギリス人の植民が開始された直後にさかのぼる。記録によれば北米大陸最初の英国植民地ジェームズタウンに、一六一九年、オランダの船が一九人の黒人を連れてきた。彼らはオランダ船が洋上で捕獲したスペインの奴隷船に乗せられていたので、オランダによって奴隷の身分から解放されたものとみなされ、イギリス本国からやってきた労働者たちと同様ジェームズタウンで年季奉公人として遇された。年季が明けると土地を与えられ自由人として生活したという。しかし植民地の黒人はその後次第に自由を奪われ、奴隷として取り扱われるようになる。

植民地時代だけでなくアメリカ合衆国が誕生してからも大規模プランテーション農業が主たる産業であった南部諸州にとって、奴隷は不可欠な労働力であり続けた。このため奴隷制度廃止の声が北部諸州で次第に高まったものの、南部諸州はかたくなに抵抗し南北の対立が次第に激化する。

その定義からして奴隷に自由はない。所有され売買の対象であるため自分の意思ではその状態から逃れえない。十分食料を与えられ寛容な取り扱いを受けるかどうかには関係なく、人間を家畜と同様に扱うのと変わらない。

奴隷の売買と所有を正当化するには、奴隷として使役する黒人たちが通常の意味での人間ではないと論ずるしかない。実際、南部人の一部に、黒人はあまりにも劣った存在であるので白人は彼らを奴隷として所有し、食事を与え、使役する権利がある。むしろそれは奴隷たちにとっても望ましい人道的な扱いなのだと主張する向きがあった。

一八五七年に連邦最高裁が下したドレッド・スコット事件判決で法廷意見を著したトーニー首席判事は、黒人が白人と比べ著しく劣るため憲法は彼らをアメリカ合衆国市民として認めることを意図していない、したがって奴隷は奴隷制度を禁止する州（自由州と呼んだ）に一定期間滞在したことを理由に、その後戻った奴隷州で解放を求め訴訟を起こす資格がない。そう論じて奴隷制度を正当化した[2]。しかしこの主張はあまりにも強引であり、心ある南部人をふくめアメリカ人の多くは奴隷の存在が自由と平等というアメリカの基本テーゼに反することに悩みつづけた。

奴隷制度を容認していたのはアメリカだけではない。先史時代から近年まで世界各地で奴隷が使役されていた。しかし一九世紀半ばまでに人道的な見地から、ヨーロッパ各国で奴隷制度と奴隷貿易が禁止される。一九世紀を通じてイギリス海軍の任務の一つは、大西洋における奴隷貿易の取り締まりであった。アメリカ史の大きな汚点は、文明国の名に値しない大規模な奴隷制度がヨーロッパ諸国よりも、またほとんどのラテンアメリカ諸国よりも長く続いたことである。

奴隷解放とその後

それでも南北戦争が北部の勝利に終わるや、ついに奴隷制度が廃止され奴隷が解放された。リンカーン大統領は戦争中の一八六三年一月に奴隷解放宣言を発布し、敵地の奴隷を解放したと宣言。さらに議会を説得して奴隷制度を完全に廃止する憲法修正案を両院に可決させた。同案は戦争が終結しリンカーン大統領が暗殺されたあと各州によって批准され、一八六五年一二月に修正第一三条として憲法の一部となった。

こうしてすべての奴隷が解放され、法律上自由になる。さらに一八六八年制定の修正第一四条によって法の平等な保護が保障され、一八七〇年に制定された修正第一五条で投票権の行使における人種差別も禁止された。しかし奴隷解放という名の自由の獲得も法の平等保護の約束も、中身をともなう本当の意味での自由と平等の実現を意味しなかった。自立するために必要な資金も教育もなく、大多数は引きつづき白人の地主などへの経済的隷属を余儀なくされ、解放された元奴隷の境遇はさほど変わらない。南部だけでなく北部でも、黒人は二級市民として遇された。

第1章で触れたように、黒人だけが差別されたのではない。遅れて渡ってきた南欧、東欧の人たち、ユダヤ人、西からアメリカへ渡った中国人や日本人、インディアンと呼ばれる北米大陸の原住民、メキシコなど中南米出身者も同様の差別を受けた。

自由と平等を旨としながら、新しい移民や少数民族を差別したアメリカは偽善的だと言われても仕方ないだろう。しかし当時のアメリカ人はそのことにそれほど大きな矛盾を感じなかったようだ。お互いに対等と認め自由を尊重するのは、西ヨーロッパ系でプロテスタントの白人同士にほぼ限られていた。英語を話さない人たち、異なる宗教を信じる人たち、肌の色の違う人たちは、その外に置かれた。

例外はあったものの、一九五〇年代までのアメリカは北部、南部ともにおおむねそうした社会だった。当時のアメリカ映画や子供の本の挿絵などを見ると、登場人物がほぼすべて白人であるのに驚く。たまに黒人が登場しても個性のない脇役でしかない。

特にアメリカの南部では、法律に基づく黒人差別がおおっぴらに行われていた。白人児童が通う小学校に通わせず、黒人のみの学校で学ばせる。列車やバスなどの公共交通機関で別の座席にすわらせる。法律がなくても社会慣習として白人のレストランで食事をさせない。一般のホテルに泊めない。これらの法律やしきたりの目的は、黒人と白人の分離によって古い南部の伝統と秩序を永続化する以外の何ものでもない。

黒人その他に対する偏見と差別の閉じた空間が開きはじめるきっかけとなったのは、第2章で述べたとおり、白人、黒人、その他少数派の人々による経験の共有であった。特に第二次世界大戦で彼らが共に戦い、その勇気をお互いに讃えあった経験は大きい。ただし南部へ戻った黒人兵士たちを待ち受けていたのは、戦前とまったく変わらない不当な扱いであった。これはおかしいと彼らは感じ、戦友であった白人の多くもそう感じた。その結果差別と戦い平等を実現するための運動が高まる。

その大きな成果の一つが、一九五四年に連邦最高裁判所が下したブラウン対教育委員会事件判決である。白人と黒人の児童を別の公立学校で教育することを義務づける州法は修正第一四条の法の平等保護条項に反し違憲無効である、と九人の判事が全員一致で判断する。[3] 全米有色人種地位向上協会（NAACP）の黒人を中心とする弁護士たちが人種差別の違法性、違憲性を訴える訴訟を繰り返し提起して戦った、その長年の努力が実ったものだった。訴訟運動のリーダーであり、最高裁で原告の代理人として口頭弁論を担当したサーグッド・マーシャル弁護士は、のちに黒人として初めて合衆国最高裁判事に任命された。

またマーティン・ルーサー・キング牧師を筆頭とする公民権運動の闘士たちは、白人からのあらゆるいやがらせ、圧力、暴力に屈せず、非暴力主義をかかげて黒人に対する差別への抗議行動を展開し、公の場所における私人の意図的な差別を禁じる一九六四年公民権法の制定を実現する。戦いは長く苦しいものであったが少しずつ成果が挙がりはじめ、一九七〇年代までには法律に基づく差別、私人による意図的な差別の全面的な撤廃がほぼ実現した。

現代のアメリカにも人種間の対立は依然として存在するし、より複雑で難しい問題になっている。人種間の対立は所得や社会的地位の格差と密接に関係しており、意図的な差別を禁止するだけでは平等は達成されない。機会の平等が実現しても、それがすぐに結果の平等をもたらすわけではなかった。

そこで少数民族、なかでも黒人に高等教育や就業の機会を与える人種優遇措置（アファーマティブ・アクション）が官民で採用される。また裁判所は意図的な差別の直接の証拠がなくても黒人の雇用数が顕著に少ないことなどを意図的な差別の間接的な証拠として採用し、一九六四年公民権法のもとで企業が違法な差別を行ったと判断して、賠償責任を負わす判決を下すようになった。アファーマティブ・アクションやそれを認める進歩的な判決に対しては、憲法解釈上の正当性や逆差別をもたらすなどの観点から今でも強い反対が続いている。

それでもこの七〇年ほどのあいだに、自由と平等の地平は大きく広がった。五〇年前、一〇〇年前と比べ、アメリカははるかに自由で平等な社会になった。

差別の経験

現代のアメリカに人種差別はあるのかと、日本でよく訊かれる。アメリカはそもそも人種差別の国だ、自由や平等は建前に過ぎない、と主張する日本人は昔からいる。もちろん日本をふくめ世界中の大多数の国におそらく差別はあるけれども、現代アメリカでそれは一般的なのだろうか。

私自身は、アメリカであからさまな差別を受けた経験がほとんどない。ただし例外が二つある。一つは基本的な教育を受けておらずアジア系の人種について何も知識がないとおぼしき人物から、「ヘイ、ヘイ、ジャップ」とか「ヘイ、チャイナマン」というふうに呼びかけられたこと。これには大した意味はなく、論外である。無視するしかない。

もう一つはごくたまに目があっても挨拶しない、話しかけてこない人がいる。気さくな人の多いアメリカでは珍しい。誰とも話をしたくない。機嫌が悪い。変人である。それだけのことかもしれない。ただ直感的に日本人（あるいはアジア系一般）が嫌いだからではないか、と感じたことがある。

アメリカ人のなかに日本人が嫌いな人がいても不思議ではない。第二次世界大戦以来、日本に対する強い反感を抱きつづけた人、あるいはそうした親から反感を受け継いでいる人がいる。何かのきっかけで親しくなったアメリカ人から、「実はうちの親父、日本人が嫌いでね」と打ち明けられたことが何回かある。大方のアメリカ人は時間をかけてかつての敵に対する憎しみや嫌悪を乗り越えたものの、複雑な思いをぬぐい切れない人もいるだろう。そういう人が日本人を避けて話をしないことは十分ありうる。

もちろん戦後七〇年以上経って戦争の記憶を有する人は急速に減りつつあるし、その子供たちもすでにかなりの年齢だ。若い世代はアメリカと日本が戦ったことさえ意識にない。しかし生き残った戦中派の人は、戦争の記憶を引きずってきた。二〇一八年に亡くなったブッシュ第四一代大統領は米海軍のパイロットとして父島攻撃中に被弾し、墜落寸前に緊急脱出する際同乗していた戦友を失ったため、長いあいだ日本に対し複雑な気持ちを抱いていた、と大統領に近い人から聴いた。ただし紳士であるこの人が、そうした感情を表に出すことは決してなかったそうだ。

区別と差別

そもそも差別とは何なのだろうか。差別はすべていけないのだろうか。差別を英語ではDiscrimination と言う。動詞 Discriminate の名詞形である。このことばの語源はもともとラテン語のDiscriminare であり、さらに同じくラテン語の Discernere から派生しているという。Discernere のDis は、別に、バラバラに、という意味の接頭語であり、Cernere はふるいにかけるという意味だそうだ。すなわちふるいにかけて別々にする、分ける、区別することを表す。したがって本来このことば自体に否定的なニュアンスはない。例えば英語の Discriminating taste という表現は、「本当によいものを見分けることができる味覚や趣味」という意味で使われる。

ただし人を区別すれば区別された人に不利益を生じせしめる場合がある。そうした区別は単なる区別ではなく、不当な差別として非難される。法律が禁止する形態の区別を相手が自分に対して意図的に行ったことを訴訟で証明すれば、賠償を受けられる場合が多い。

ごく一般的にいえば、区別することに十分な正当性があればその区別は不当な差別ではない。生まれつきあるいは後天的な理由によって重度の視覚障害があり公道での自動車運転に危険がともなう人に、自動車の運転免許証は交付されない。これは視覚障害者をその他の人から区別するものであるけれども、交通安全のためという止むに止まれぬ理由があるから、不当な差別ではない。

しかし、黒人だからという理由のみで運転免許証を与えないとすれば、止むに止まれず区別する理由があるとはとても思えず、黒人の排除そのものが理由だとしか考えられない。したがって意図的で不当な差別だと判断される。

難しいのは、多くの場合許される区別と不当な差別のあいだにあいまいな領域が広がっていることである。そもそも意図的な差別と一口に言っても、差別の意図があったかなかったかはどうしたらわかるのだろうか。

一九五〇年代にロックフェラー財団のフェローとしてアメリカへ渡った私の両親は、中古のフォードで大陸を横断した時、沿道のモテルで何度か宿泊を断られた。アジア人は泊めない、日本人はお断りだと言われたわけではない。「申し訳ない、今夜は満室なので」と告げられる。「外に空室ありますと、サインが出ていた」と抗議をすると、表情を変えずに「たったいま最後の部屋が埋まったのです」と言われた。かなり怪しい言い訳だけれども、それが虚偽の発言であることの証明はなかなか難しい。ロイヤーを雇い訴訟を提起し証拠を集めて賠償を求めるなど、旅人にできるはずがない。

逆に、区別する側にその正当な理由があっても（あるいはそう確信していても）、区別される側がそれを不当な差別だと受け止める場合がある。そしてしばしばマスコミを通じてその不当性を世論に訴える、あるいは訴訟を提起し損害賠償を求める。身に覚えがなくても不当な差別を行っているという噂を立てられ訴訟を起こされれば大ごとになるから、個人や企業は誤解されるような言動や行為を最大限つつしむ。

エディー・マーフィーという黒人喜劇俳優が主役をつとめたヒット映画の一つに、『ビバリーヒルズ・コップ』というのがあった。麻薬密売組織に殺された旧友の仇を討つためビバリーヒルズにやってきたデトロイト市警の刑事に扮したマーフィーが、高級ホテルのフロントにやってくる。「予約した者だが」と告げて名を名乗るが、フロント係がいくら探しても予約は見つからない。それもそのはず、予約はしていないのである。「お客様、そのお名前での予約はございませんが」と言われて、マーフィーが突然声を上げる。

「なんだって、そうすると何かい君、私が黒人だから泊めないっていうんだな。このホテルでは黒人を差別しているんだな」と大きな声で言いつづける。閉口したフロント係は、「申し訳ありません。代りの空室が見つかりました。いいお部屋をご用意しましたから」となだめられ、スイートルームに泊まることになる。

もちろんこれはフィクションで現実にはそうそう起こりえない話である。しかしホテルのような信用を大切にする客商売では、黒人を差別して泊めなかったという噂が拡がるだけで信用に傷がつく。だからこのような無理筋の要求もなるべく穏便に処理しようとする。この場面はアメリカの人種差別問題の難しい一面を、巧みに表している。

無意識の差別

このようにあからさまな差別の意図がなくても、時に差別をめぐる紛争は起こる。現代のアメリカでは白人至上主義者など人種偏見がよほど強い人物でなければ、露骨かつ意図的な人種差別はしない。内心偏見を有する人は少なくないだろうが、表に出さない。しかし意図せずしてあるいは無意識のうちに、差別と受け止められかねないことばを発してしまうことは十分ありうる。差別は多分に心理的なものでもある。同じ取り扱いを受けても、差別されたと感じる者、感じない者がいる。

私がワシントンの法律事務所に就職した時、新人ロイヤーの研修と懇親を兼ねた合宿があった。大きな事務所であったので、ロス、サンフランシスコ、ニューヨーク、ワシントン、東京やパリから新人ロイヤーが南カリフォルニアのリゾートに集まった。事務所の経営陣から話を聴きロイヤーとして働く心構えやルールを学ぶと同時に、スポーツや会食を催して同僚意識を高める。

研修プログラムの一つとして、外部から招かれた女性コンサルタントが講演した。我々新人ロイヤーに対して、職場での差別問題を避けるために知っておくべきことをわかりやすく説明する。同僚女性ロイヤーへの接し方、ロイヤー以外の少数民族出身従業員との関係、人種や女性に対して偏見を有する顧客の扱い方など、なるほどアメリカの職場ではこういうことが問題になるのだなといろいろ発見があった。

ところで少々気になったのは、講師がたびたび「パーソンズ・オブ・カラー（persons of color）」という表現を使うことである。講師は「職場では常にパーソンズ・オブ・カラーの人たちのことを考えてあげなくてはいけない」、と強調する。「このなかにパーソンズ・オブ・カラーは、何人くらいいるかしら。自分がパーソンズ・オブ・カラーだと思う人、手をあげてくださいな」。全部で八〇人ほどいた聴衆のなかで、手を挙げたのは私をふくめて一〇人前後だっただろうか。黒人のロイヤーが三人ほど、アジア系が五人ほど、その他が二人ぐらい。「パーソンズ・オブ・カラーの人たちは、みなさんのちょっとした言動にも傷つくことがあるの」と彼女は話を続ける。

パーソンズ・オブ・カラーというのは有色人種のことである。アメリカでは長く黒人を一般にニグロと呼んだ。一九七〇年代初頭までアメリカ合衆国最高裁の人種差別を禁じる判例でも、黒人を指す普通名詞としてニグロということばが使われていた[4]。しかしこのことばは黒人に対するかつてのあからさまな差別と密接なつながりがあり当時を連想させるという主張が強まり、使われなくなった。今ではブラックあるいはアフリカン・アメリカンという呼び方をする。最高裁の判決文でも一九七〇年代後半にニグロからブラックに変わり[5]、二〇〇〇年代に入ってアフリカン・アメリカンが用いられるようになった[6]。

一方色々な変遷があったものの、有色人種つまり白人以外の人のことをかつてはカラードあるいはノン・ホワイト（非白人）と呼んでいた。ただカラードということばは、もともと西インド諸島などで黒人の血が入ったという意味で使われた一方で、アメリカ南部ではもっぱら黒人のことを指したので、わかりにくい。またこれらのことばは歴史的に白人優越主義を思い起こさせるので好ましくないという考え方が広まる。そこで現在広く用いられるのがパーソンズ・オブ・カラーである。黒人、アジア系、ヒスパニック系など、白人以外の少数人種すべてを中立的に表現できるからだという。

しかしスピーカーがこのことばを発する度に、私は多少居心地の悪い思いをした。あらためて周りを見渡すと圧倒的に白人が多い。そしてスピーカーの女性が「パーソンズ・オブ・カラー」を疎外してはいけないと強い口調で言うたびに、「そこに座っている、あなた。白人ではないあなた。あなたのことよ。あなたはパーソン・オブ・カラーなのよ」と一々指摘されているように思った。自分と周囲の人たちの違いが、むしろ強調される。なるほどこれが、話している本人はまったく意識していないのに（このケースではむしろ差別をなくす手だてについて話をしているのに）、受け手の側が微妙な差別を感じてしまう例なのかもしれない。そう思った。

ことばと差別

意図的ではないものの受け手の感情を害しかねない区別・差別は、人種や皮膚の色だけによるものではない。他人社会のアメリカで人々は日々新しい人に出会い、その場でどう対応するかを決める。相手についてその時得られる情報をもとにして瞬時に判断する。人種は一つの要素に過ぎない。既述のとおりその他にも、服装、髪型、装飾品、表情、目の動き、手の動き、ジェスチャー、足の組み方、声の大きさなど、さまざまな情報を無意識のうちに総合的に分析している。そうした情報のなかで特に重要なのは、ことばだと思われる。

エイミー・タンという中国系アメリカ人の作家がいる。映画化もされた『ジョイ・ラック・クラブ』という作品でよく知られている。彼女の短編に、*Mother Tongue*（母国語）という作品がある。エイミーの両親は、戦乱の中国を離れカリフォルニアへ渡った移民であった。エイミーは同州オークランドで生まれたが、一四歳のときに父を亡くし母に女手一つで育てられた。

母親は教養のある婦人であり英語の「読み聞き」には不自由しなかったけれど、彼女が話す英語はわかりにくかった。中国語で考えそのまま英語に直して声に出すので、一般的な英語の文法に合っていない。一種のブロークン・イングリッシュである。例えば亡くなった夫についての思い出を、日本語に直せば「彼来るあるよ、私の結婚式。彼見なかった、聞いた。中国の歳、私一九だった」と語る。中国語の訛りも強かったのだろう。ブロークンというけれども話の内容は彼女なりに論理的で意味をなしていた。エイミーは家で母親の英語をまず身につけ、学校に入って初めて一般的な英語を覚えた。

こうした英語を話すがゆえに、エイミーの母親はしばしば困難に遭遇する。ある時病院で脳腫瘍の疑いがあると告げられ、ＣＴスキャンの検査を受けた。数週間後結果を聞くために病院を訪れると、さんざん待たされたあげく医者からＣＴスキャンの記録が見つからないので今日は帰れと言われる。強く抗議したが、出直してもう一度検査を受けるしか道はないとのこと。謝罪もないしぶっきらぼうである。

彼女はそれでもあきらめず、いやがる担当医に無理やり自分の娘に電話をかけさせた。電話で母親から事情を聞いたエイミーは、代わった担当医に母親の言い分を冷静に伝え医者の説明を求めた。するとどうだろう。担当医は検査結果をなくした責任を認め、丁寧に謝罪し、即座に次のＣＴスキャンの予約を取ってくれた。

どうしてこんなことが起こるのだろう。エイミーの母親に対する人種差別だったのだろうか。そうかもしれない。しかしむしろ言っていることがよくわからない人に対する不親切が原因だったように思われる。病院や役所などで大勢の人に対応する人たちは忙しい。次々に話を聴いて理解し説明し指示せねばならない。言っていることがよくわからない人への対応には時間がかかる。ついいらいらして不親切になる。あるいは誤解する。これも一種の差別だろう。少なくともこのような扱いを受けた人、特に少数派の人はそう思うだろう。

この差別は人種によるものではない。白人であろうが黒人であろうが、あるいはアジア系であっても、英語を正確に論理的に操る人に対してはこのような対応をしない。現代のアメリカ社会ではことばさえ満足に使えれば、人種や出自に関係なく平等に接してもらえる。そのうえで実力さえあれば成功のチャンスが広がる。逆に論理的な英語でコミュニケーションのできない人たちは不利な立場に置かれる。だからあんなに多くの人が、法律という論理的に考え伝える「ことば」を教えるロースクールへ進学するのだ。

逆に最近アメリカへ渡ってきた移民、高等教育を受けていない人たち、黒人やヒスパニックなど彼らのコミュニティだけで使われる独特の英語を使う人々。そうした人たちは人種や民族よりもことばゆえに差別を受けるのではないか。ことばが理由の差別もまた、多くの場合無意識のうちに起こる。

ポリティカル・コレクトネス

思わぬことばが人を傷つける。差別されたと感じさせる。それを避けようとしてことばに気をつける。それは心づかいであり礼儀というものであろう。しかしことばに気をつけるのが度を過ぎると、これまた問題になる。さらに一歩進めば、好ましくないことばを強制的に排除しようという運動になる。魔女狩りならぬことば狩りになる。

現在のアメリカで、かつては広く使われていたニグロ、ジャップといったことばを使うのは絶対のタブーである。公職にある人が使えば大きな非難を浴びる。場合によっては辞任を余儀なくされる。同じことは日本でもある。

このいわゆる「ポリティカル・コレクトネス」の動きは、アメリカで近年さらに先鋭化している。ニガー、ニグロのように、好ましくないことに衆目が一致している表現だけでなく、差別の歴史に関係のある人物の名前や記念碑までが問題にされ排除されている。

南部各地には、南北戦争の際に南軍最高司令官をつとめたロバート・E・リー将軍の騎馬像が立っている。南軍の勇将として知られるストーンウォール・ジャクソン将軍や南軍兵士の像も多い。北軍に敗れ多くの命が失われ、戦後北軍による長期占領の苦難を乗り越えた南部の人々が、我々の同胞よく戦えりと建立したものである。歳月が流れ南部は大きく変化したものの、これらの像は時代を越えて南部の風景のなかに溶けこんできた。

ところが近年これら銅像の廃棄運動が高まり、現在多くが実際に撤去されあるいはビニールシートをかぶせて人目に触れないようにしている。南軍の軍人を顕彰するのは、彼らが死守しようとした奴隷制度とその後の南部の差別の歴史を容認することに他ならない、こうした銅像は黒人の気持ちを著しく傷つけると運動家たちは主張する。

二〇一七年八月には、リー将軍とジャクソン将軍の像撤去が決まったヴァージニア州シャーロッツビルの町で大きな騒乱が起きた。黒人差別を公然と謳う白人至上主義団体の運動家たちが撤去に反対して町に繰り出し、それに強く抗議する人々と路上で衝突する。そして抗議する人々の列に車が突入して一人死者が出た。

この事件について南部人は複雑な気持ちでいる。彼らの大半は、南部諸州が奴隷制度を維持し戦後も黒人を対等な市民として遇さなかったことを許すべきでないと認識している。しかし同時に、故郷を守るために南北戦争で戦い命を落とした兵士ひとり一人を悼むのは当然だという思いもある。リー将軍は高潔な人物として知られ、奴隷制度に反対だったと言われる（そうではなかったという説もある）。将軍の銅像にはそうした南部人の複雑な思いがこもっている。それに騒乱を起こしたのは、右も左も大多数が町の外から来た人間であった。銅像の撤去を強硬に求める左派の運動家も人種差別を唱える右翼の運動家も共に迷惑な存在であり、多くの人が当惑している。シャーロッツビルに住むある友人がそう教えてくれた。

同様にプリンストン大学では二〇一六年に黒人学生の団体が、同大学ウッドロー・ウィルソン公共政策大学院の名前を変更するように求める運動を開始した。ウィルソンはプリンストン大学学長をつとめた学者出身の大統領である。ベルサイユ会議を主導し民主主義と民族自決の原則を掲げて国際連盟の創立に尽力した、アメリカ史上偉大な大統領の一人として知られている。しかし元々南北戦争の前にヴァージニアで生まれた南部人であり、生涯黒人を嫌い差別しつづけた。そうした人物の名前をプリンストン大学大学院の名称として掲げるのは間違っている。一部の学生たちはこう主張した。学長はこうした動きを無視できず調査委員会を設けて検討した結果、二〇一六年にウィルソンの名前を保持することを一旦決めた。しかしさらに高まる反差別運動に直面して二〇二〇年にこの決定をくつがえし、同大学院の名称からウッドロー・ウィルソンを削除した。

日本でも慰安婦や南京事件に関するいわゆる歴史認識問題が、韓国や中国とのあいだで長年の懸案になっている。どこまで過去の問題を蒸し返し糺させねばならないのか。アメリカ人のあいだでも極端なことば狩り歴史狩りに対して密かに、あるいは公然と反発する人が多い。

過剰なポリティカル・コレクトネスの傾向は、差別をなくそうとするその意図とは逆にむしろ人種差別を容認するかのような昨今の風潮を助長しているように思われる。そうだとすればこうした運動は対立を激化させるだけで、歴史の傷を癒し異なる背景を有する人々の穏やかな共存をもたらすことにはならないだろう。

註

(1) *Hadley v. Baxendale* (1854) 9 Exch 341.

(2) *Dread Scott v. Sandford*, 60 U.S. (19 How.) 393 (1857).

(3) *Brown v. Board of Education of Topeka*, 347 U.S. 483 (1954).

(4) *Swann v. Charlotte-Mecklenburg Board of Education*, 402 U.S. 1 (1971).

(5) *Regents of the University of California v. Bakke*, 438 U.S. 265 (1978).

(6) *Grutter v. Bollinger*, 539 U.S. 306 (2003).

第6章　区別するアメリカ、競争するアメリカ

I'm a loser
I'm a loser
And I'm not what I appear to be

Beatles (John Lennon), *I'm A Loser*.

1　区別するアメリカ

競争という名の区別

自由と平等を旨とするアメリカ。差別のない社会を実現しようと、時に行き過ぎではないかと思われるほど気を使うアメリカ。そんなアメリカでいつも奇異に思い矛盾を感じるのは、人々が無類の競争好きであり、競争に勝って自分と他人とを区別するのにきわめて熱心なことである。

前章で述べたとおり、アメリカでは不当な差別によって自分が人より優位に立ち、よりよい処遇を受けるのは許されない。たとえ無意識でも、そして差別する意図がなくても、そうしたことがないように社会全体で細心の注意を払い法律で禁じている。

しかし平等と共に自由を建前とするアメリカ社会では、正当な手段によって自分を他人と区別し人より高い社会的地位、多額の収入、豊かな生活を手に入れるのは、賞賛されこそすれ何ら恥ずべきことでない。天賦の知力と才能に加え、強い意志、強健な身体、たゆまぬ努力、へこたれない精神力、旺盛な野心、そして運は、公正かつ公平な条件のもとで競争に勝ち自分を他人から区別するために欠かせない動機であり手段であり、必要条件である。競争に勝つことこそが自由の醍醐味でもある。アメリカ建国の父祖の一人であるジョン・アダムズは、これを「卓越への情熱」と呼んだ。

競争は学校ではじまる。ニューヨークやロサンゼルスなど比較的高所得の住民が多い都市の一部地域では、子供をよりよい小学校、中学、高校（その多くは一貫校）へ入れようとする親同士の「お受験」競争が熾烈である。このあたりは日本や韓国と変わらない。しかし大学は日本と少し様子が違う。

一九七〇年代後半にアメリカの大学学部へ留学して、学生が猛勉強するのに驚いた。最近は日本の大学生も比較的勤勉に勉強するけれども、私の時代にはごく少数の者以外勉強らしきことをしなかった。日本の大学はよき友をつくり青春を謳歌する場所という暗黙の了解があり、最低限の単位を稼げば（少なくとも私が学んだ大学では）楽に卒業できた。

ところがキャンパスの外でアパートを借りて一緒に住んだアメリカの新しい友人たちは、朝大学へ出かけてから夜帰宅するまで毎日勉強ばかりしている。授業と授業のあいまには図書館にこもり、ひたすら予習復習を行う。教科書や参考書をつめたリュックを背負って夜の八時ごろアパートへ戻ると、水を飲み一息ついて真夜中まで勉強する。

ガリ勉は私のルームメートたちだけでない。期末試験が近くなると図書館の一室が二四時間開いている。真夜中を過ぎてもそこに留まり、明け方まで勉強しつづける学生が珍しくなかった。なぜ学部時代からこれほど勉強するのか。彼らが日本の学生よりも資質が高く勉学が好きだからでは必ずしもない。一番大きな理由は、学部四年間の成績が就職や大学院進学の展望をかなり大きく左右するからである。それは日本でも同じだと言われそうだが、アメリカでは学部の成績が後々ずっとついて回るという印象がある。

ガリ勉タイプには将来医師や弁護士、企業エリートをめざし、メディカルスクール、ロースクール、ビジネススクールなど専門職大学院への進学を考える学生が多かった。学部を出てそのまま、あるいはいったん就職してから数年後に大学院へ進もうとすると、必ず学部時代の成績証明書を要求される。大学院を出て再就職するときも、大学院だけでなくしばしば学部の成績を求められ評価の材料として用いられる。

人を評価するのに地縁、血縁、身分、階級、出身地、人種などを使えないアメリカでは、学部の総合成績は存外信頼できる指標なのだろう。州立大学卒業生の場合、特にそうである。ハーバードやプリンストンなど名門大学卒業生の場合には成績だけでなく出身校の名前や卒業生のネットワークがものを言うけれども、それ以外の大学の卒業生には成績しかない。したがって学部時代によい成績を取っておくのは、その後社会に出て成功するための必要条件なのである。

ガリ勉をするもう一つの理由は奨学金である。アメリカの大学は一般に学費が高いけれども、同時に多くの奨学金が用意されている。奨学金を与える基準もさまざまだが、通常ある水準の成績を在学中に維持することが求められる。学資の支払いが容易でない若者にとって、卒業後に多額の負債を抱える学生ローンを除けば大学へ進めるか勉学を続けられるかは奨学金が得られるかどうかにほぼかかっている。良好な成績を維持し奨学金を毎年獲得して、なんとか卒業したい。さらに奨学金を得て大学院へ進みたい。アルバイトをしながら大学で学ぶ苦学生たちは、どうしたって必死で勉強をする。

学部レベルでも競争は十分激しいけれども、大学院レベル、特にロースクール、メディカルスクールなどアメリカ社会のエリートを養成する学校での競争はさらにすさまじい。ロースクールでは法律の基礎をたたきこむ一年生の時の成績が特に重要である。卒業後有力な法律事務所に就職できるか、連邦控訴裁判所判事、連邦最高裁判所判事の助手として採用されるか、将来司法省の高級官僚や検事、有力ロースクールの教授、連邦裁判所判事、有名法律事務所のパートナーなどになり、司法エリートの一翼を担えるかどうかがあらかた決まってしまう。ロースクールは三年の課程だが、ずばぬけて鋭い法律的思考力や分析力を有しているかどうかは一年間法律を学んだあとの試験の成績で大体わかるからだという。

このことを皆知っているので、一年生の終わりに行われる五科目の試験を前に学生の緊張は異様に高まる。何しろ週二回の授業が通年で行われる物権法、契約法、民事訴訟法の試験は、年度末一度ずつしか行われない。私が一年生の時には、民事訴訟法の試験に出る架空の事件の概要を記したファクトパターンだけで三〇ページあった。試験の数日前に配布され、四日ほどで法律上の争点を分析し整理しておかねばならない。秋学期のみの二科目、春学期のみの二科目を加え全部で七科目、それぞれ四時間の試験でどのくらいの成績を取るかによって、ロイヤーとしての将来がかなりの程度決まる。緊張しないほうがおかしい。

ロースクールでの競争は第二学年、第三学年でも続くが、第一学年が終わると上位一〇パーセントから一五パーセントの範囲の成績を取った学生とそれ以外の学生は、何とはなしに別のグループに分かれる。成績優秀な学生は第二学年のあとの夏休みに一流の法律事務所や司法省など法執行に当たる政府機関でサマーアソシエートと呼ばれるインターンとして働き、卒業後希望の職につく。成績が中以下の学生はなかなかインターンに採用されず、その後の就職も難しい。彼らは中堅法律事務所のロイヤーを目指すが、なかには法律の仕事につくのをあきらめ大学の職員、図書館の司書、法律出版社の社員などになるものも多い。同じロースクールを出て司法試験に合格しロイヤーを名乗っても、競争に勝ったものと負けたものの差がはっきりつく。

さらに本当のことを言えば実はロースクールにも序列があって、イェールを筆頭に、スタンフォード、ハーバード、シカゴ、コロンビアのトップ五校[1]、トップ一〇校（トップ10に入ると主張するロースクールはおそらく二〇近くある）、さらにそれ以下では明確な差がある。既述のとおり、連邦最高裁判所の現職判事九人のうち八人はハーバードとイェールのロースクール卒業生で占められている。かつてはもう少し出身校にバラエティーがあった。レンクイスト前首席判事とオコナー元判事はスタンフォード・ロースクール、スティーブンス元判事はノースウェスタン・ロースクール、バーガー元首席判事はミネソタ州のセントポールという小さなロースクール出身であった。

終わりのない競争

大学の学部をよい成績で卒業し、すぐにあるいは実務経験を積んでからトップクラスの大学院に進む。そこも優秀な成績で卒業し、好条件で一流の企業や事務所に就職する。それは日本以上に学歴を重視するアメリカ社会の激しい競争に勝ち、自分を「差別化」するのにひとまず成功したことを意味する。

しかしこの時点で競争は始まったばかりである。ロースクール卒業生の場合、一流の法律事務所に採用されても今度はアソシエートという賃金労働者の身分で六年から七年働きつづけ、パートナーと呼ばれる共同経営者の地位を目指さねばならない。パートナーになれば終身雇用が保障され、事務所の純利益は原則として株の持ち分に応じて分配される。

大きな事務所でパートナーに選ばれるのは、同期で入所したロイヤーの一〇人に一人程度である。能力だけで決まるわけではなく、全般的な景気に加え、金融、企業合併、通商、不動産など専門的な法律業務への需要の動向、一緒に働いた先輩ロイヤーの意向や引退の時期をはじめ、さまざまな要因がある。

一方、パートナーに選ばれそうもない若いロイヤーの多くは割り切っていて、有名事務所で二、三年経験を積むと、その実績を履歴書に記して再就職活動に励み別の事務所へ転職する。

それでもパートナーになれば収入は一気に増大するし、社会的地位も上がる。身分も保障される。だからこそ同期のなかで自分の能力と実績が高く評価されているロイヤーは、頑張りつづける。そこまでしても、ある日事務所の経営責任者に呼ばれ、パートナーに選ばれないと宣告される可能性は決して小さくない。その時点で競争に負ける残酷さはたとえようがない。

私がロースクール在学中の夏にニューヨークの法律事務所で実習をした時、中西部の無名ロースクールでよい成績を残しこの事務所のサマー・アソシエートに採用されたフランクという人物と親しくなった。頭脳明晰なのだが、東部のエリート・ロースクール出身者とは一味違う気さくでおおらかな好人物であった。ロースクール卒業後、連邦控訴裁判事の助手を経てカリフォルニアの一流法律事務所へ就職、六年後パートナーに選ばれた。

フランクには同じ年に入所した仲のよい同僚がいた。同期が一人去り、二人去り、いつしかフランクと彼女だけがパートナーとして事務所に残る可能性のあるシニア・アソシエートになっていた。二人はライバル同士でもあった。そして運命の日、フランクがパートナーに選ばれ彼女は選にもれた。彼らは同じ部屋で一緒に大泣きしたという。あれほどつらかったことはないとフランクは言った。

「それで、パートナーになった感想は」と私が訊くと、フランクはしばし考えて、「それはもちろん嬉しいけれど、本当のところ妙な気分でもあるんだ」と言う。「パン食い競走ってのがあるだろう。懸命に走ってパン食い競走で一等になったら、何と賞品がパンだった。そんな感じさ」。

パートナーになれば地位が安定し収入は顕著に増えるが、楽になるわけではない。ジュニア・パートナーは事務所に収益をもたらすために、これまで以上に仕事をしなければならない。パン食い競走にも似た競争は延々と続く。

フランクはその後パートナーをつとめた事務所を辞めて、今はテキサス州のあるロースクールで会社法を教えている。保守的なリバタリアンを自認する彼は優秀なロイヤーではあるが、アメリカ式の過剰な競争にどっぷり浸かりつづけるのは性に合わなかったようだ。

メリトクラシー

競争が激しいのは、もちろんロイヤーの世界だけではない。医学、自然科学、ビジネス、軍隊、スポーツの世界でもそうだし、アメリカだけではなく日本でも中国でも、あるいはヨーロッパでも同じだ。今はさらに、国境を越えた競争がある。

ただ競争が激しいだけでなく、その結果が明白にされ外へ示され勝ち負けがこれほどはっきりするのは、アメリカ社会の特徴かもしれない。日本では役所でも企業でも、トップの座を争って負けた人物はそれなりの処遇を受けつつ静かに退場する。アメリカではたとえ大企業の最高経営責任者であっても、ある日取締役会に呼び出され満座のなかでクビを言い渡されることが珍しくない。

こうした個人間の勝ち負けは、能力と努力と成果にのみ基づく公平かつ公正な競争によるかぎりにおいて、正当化される。したがって企業、官庁、大学など競争を通じて人材を確保する組織ではその過程で不当な差別がなかったことを、個人の能力と努力の正当な評価のみに基づく選別を行っていることを、証明しつづけねばならない。少しでも疑義があれば不当差別の声が起こり訴訟になる。人間が決定を下す以上まったく主観が入らないことなどありえないのではと思うけれど、組織が自らを守るためには細心の注意が必要だ。英語で能力主義のことをメリトクラシーというが、メリトクラシーを徹底するのは容易でない。

アメリカという競争社会に一つ救いがあるとすれば、敗者復活のチャンスが存外豊富なことだろう。アメリカは広いので、政治や経済、医学や科学、文化の中心が一つでなく国中に分散している。そのためワシントンの法律事務所でパートナーになれなければ、中西部の故郷の町へ戻ってそこでロイヤーとして再出発する。ニューヨークの投資銀行で成功しなければ、カリフォルニアに移って新しくベンチャー企業を起こす。しがらみのない世界で新たな競争に加わり成功を求める。これまた他人社会アメリカ、自由で平等なアメリカだから可能なのだろう。私の周囲にも場所を変えて一からやり直す人が少なからずいた。すべてが東京を中心に動いている日本では、なかなかそうはいかない。

しかしこれもまた、敗者復活戦というもう一つの競争である。復活を何度試みても勝てない人がいる。また教育や資格の欠如ゆえに競争に参加できない人もいる。階級や人種ゆえにどんなに能力があっても排除される社会は許しがたいが、階級や人種には一切関係なく純粋に能力のみで人を選別し区別するメリトクラシーという仕組みもまた、成功者と失敗者、エリートと非エリートに社会を分断する点は同じだ。

グローバル化、多様化、情報化が進む現代のアメリカでは、つい最近この国へ渡ってきた移民や移民の子供たちの一部がメリトクラシーの恩恵をこうむり差別を受けることなく、その高い能力を最大限発揮してエリートとしての道をまっしぐらに駆け上がり成功を収める。しかし祖先が植民地時代にアメリカ大陸へ渡って来た何代も続く家族の出身であろうが、南北戦争の英雄の子孫であろうが、能力がなければそのような成功は望むべくもない。

こうした正当な区別には文句を言えないが、不満は残る。現代のアメリカ社会が分断されトランプ大統領が選ばれた理由の一つは、文句をつけようがないメリトクラシーのなかで競争に勝てない人々が抱く深い絶望感にあるのかもしれない。我々の苦境は、止まることなく流入する不法移民や不公正な輸出をする海の向こうの国家のせいだ。そう信じ言い張り不満を共有する人々と徒党を組み、移民や輸入の制限を求める政治活動を行う。そうすることによって、どこへも持って行く場のない怒りと不安が少しは緩和されるのかもしれない。

ところで私が働いていたワシントンの法律事務所で、ある日従業員のための朝食会が開かれた。事務所ではロイヤーの他に、秘書、受付、IT、文書保管、食堂、営繕などの担当者やメッセンジャーなど、サポーティング・スタッフと呼ばれるロイヤーでない人たちが大勢働いている。この朝食会ではいつもはロイヤーの仕事を陰で支える彼らが食堂で客となり、ロイヤーがエプロンをつけて給仕をする。何か日常とは違うことをしてみよう。誰が思いついたのか、そういう遊び心に皆が賛同して実現したものだった。

　私も給仕をつとめたが、そこは平等社会アメリカである。客になったスタッフの面々は遠慮などせずにロイヤーをあごで使うのを楽しんでいる。コーヒーがぬるいと文句を言う。卵は固めにゆでてほしいと注文をつける。朝食を終えて「これ取っときなよ」、と、我々給仕役のロイヤーにチップを弾む男性さえいた。

　朝食会は大成功で、給仕される側、給仕する側の双方とも大いに楽しみ、大いに笑った。法律事務所の雰囲気が柔らかくなったように思えた。いつもは真面目くさって仕事をしているロイヤーたちが、なれない仕草で給仕役をつとめる姿は新鮮であった。

　ある人からユーモアの定義は英語で"juxtaposition of incongruous elements"（本来異質の要素を並べて置くこと）だと教わった。普段ロイヤーへサービスを提供するスタッフが客となりサービスを提供されるロイヤーが給仕として走り回るのは普段決して見ない光景であり、だからこそ笑える。メリトクラシーの徹底したアメリカでぎすぎすした雰囲気を多少とも緩和するのは、こうしたユーモアに満ちた気さくな関係である。

　しかし穿った見方をすれば、わが事務所にはロイヤーと非ロイヤーのあいだに厳然とした区別があるけれども、それはあくまで資格や能力による区別であって人種や出身地などによる不当な差別ではない。ロイヤーとスタッフは人としてあくまで平等であり、こうして一緒に笑い合い楽しみ合うのだという風に、事務所の経営陣は見せたかったのかもしれない。一年に一度ロイヤーがスタッフのために朝食の給仕をつとめるのは、本来それがありえないことを厳然と示している。両者のあいだには能力の差によって生まれた越えがたい溝があるのを、無意識のうちに強調する結果になっていたかもしれない。

差別と区別は、考えれば考えるほどややこしい。

競争する理由

それにしても平等を旨とする国であるにもかかわらず、なぜアメリカ人はこれほど強く競争に勝ちたいと思い、自分を他人から「差別化」したいと思うのだろうか。

もちろん第一に、より高度の教育を受け努力して競争に勝てば、よりよい職業につけ地位が得られ収入が増える。その結果物質的精神的により大きな満足感を得られる。その可能性が存在し誰でも挑戦できるからこそ、アメリカ人は競争が好きなのであろう。努力しても自分の出自や身分では高い地位につけない、代々父祖が携わってきた仕事をするしかないことが明白であれば、わざわざ借金までして大学院で専門教育を受け、未知の分野に挑戦しようとは考えない。

植民地時代以来、アメリカ社会ではあらゆる分野がほぼすべての人に開かれていて、だれでも競争に参入できた。歴史家のブアスティンはその理由を過少な労働力と豊富な土地や資源に求めている。土地や資源は有り余るほどあったけれど、それを開拓し活用する人間はいつも不足していた。人を雇いたくても条件を満たす人がなかなか見つからない。であれば自分がすべてやるか、経験がなくてもいいから誰であろうと雇って仕事をやらせるかしかない。

「素人でありながら、ロイヤー、建築家、医者、その他の役割を果たす。海の向こうのヨーロッパでならその分野に精通する専門家がやるべきことをする。なんでもやるのが美徳だからではなく、それが必要だからである」。したがって「大工は桶職人、家具職人、靴職人を兼ね、印刷工は文章家、紙職人、装丁職人、インク製造人、郵便局長になり、やがて公職についた」(Boorstin 1 1958)。

同じ産業革命を経験しても、イギリス下層階級の工場労働者は低賃金で酷使された。労働者の数があまりにも多いため、就労環境が悪くても他に仕事を求める機会がほとんどなかった。一方、労働力が常に不足していたアメリカの労働者は、イギリスの労働者よりずっとよい給料と待遇を受けた。一旦ある工場で仕事についても、しばらく経験を積めば容易に他の工場や異なる仕事に転職ができたし、早くからそれが当たり前であった。

「[アメリカでは] 製造業は固定した労働階級を必要としなかった。労働者たちは親から子へと劣悪な環境の工場で働きつづける別途の階級を構成せず、健康で道徳的で常によりよい職場を求めて移動する動的で活発な一般人から採用された」。

と、一九世紀半ばのある進歩的な産業人は述べた。この結果、「旧世界特有の貧しい工場労働者という観念は消えてしまった」（Boorstin 2 1965）ブアスティンはアメリカに階級が存在しない理由の一つをこう説明する。

こうした社会では、勤勉さと才覚と運があれば誰にでも成功のチャンスがある。比較的貧しい境遇で一七人兄弟の一人として育った少年時代に印刷工として働き、若くして立身出世を果たし、やがてアメリカ建国の父祖の一人として歴史に名を残したベンジャミン・フランクリンはその典型であり、元祖アメリカ人ともいうべき存在である。フランクリンのことばによれば、「アメリカでは誰でも親方になるチャンスがある。［ギルドが発達し高度に職業が専門化したため］弟子入りが難しいヨーロッパと異なり、勤勉な若者なら親方から徒弟に雇ってもらい、仕事を与えられ、職人として食べていけるようになる」からである（Boorstin 1 1958）。

アメリカで「がんばって！」に当たる表現は"You can do it"だという説を聞いたことがある。アメリカ人が競争好きである背景には、チャンスが存在するゆえの「君もできる」、「私もできる」、「みんなできる」というこの国特有の楽観的な成功への確信と期待がある。

しかしこうした成功への伝統的な期待や楽観とは裏腹に、近年成功者とそうでない人のあいだの格差がアメリカでますます拡がりつつあると言われる。さまざまな理由で現代のアメリカ人は、かつてほど強く成功への楽観的信念を持てないでいるようだ。それでもなお、あらゆる困難を乗り越え懸命に努力して"You did it"（「やったじゃないか」）と言われる成功物語が繰り返される限りは、アメリカ人は成功を信じて競争しつづけるであろう。日本の一部にある競争こそが諸悪の根源だという発想は、アメリカにはまずない。

アメリカ人が競争好きであるもう一つの理由は、競争に勝つことそのものの快感であろう。競争はきついけれども、勝つことによって得られる満足感、生きている実感は何ものにも代えがたい。それはスポーツの大会で優勝し新記録をうちたてるのに無上の喜びを見出すアスリートの精神構造に似ている。勝つことはもはや名声と報酬を得るための手段ではない。目的そのものなのである。

私がワシントンの法律事務所につとめていたころ、あるアメリカ企業が反ダンピング法（不当な安値での輸入を禁止する法律）に基づき日本企業数社を相手取って提訴した。そのうちの一社が、米国通商法に詳しい法律事務所を探しているという情報を得て、たまたま東京に出張していた私が同企業の本社へ出かけてプレゼンテーションを行い、他の米国法律事務所を押さえて我が事務所が代理人に雇われた。

新しい顧客と今後の手順について相談してからワシントンの事務所へ戻ると、久しぶりで会う同僚のロイヤーがみな「よくやった」と握手してくれる。正直に言えばそれほど大きな案件を引き受けたわけではない。この件で事務所がそれほどもうかるとも思えなかった。それでもなお他の事務所に勝って顧客を獲得してきたことを、みんなひどく喜んでいる。どうしてだろうと首をひねりながら、この人たちには狩人のメンタリティがあるなと感じた。新しい顧客を獲得するのは狩りに似ている。まだ比較的ジュニアなロイヤーであった私が顧客を得て帰ってきたのは、親から離れて狩りに出かけ獲物をしとめた若いライオンのようなものだったのかもしれない。農耕民の子孫である私は、狩猟社会の人たちと一緒に仕事をしていた。

アメリカ人が競争好きで少しでも自分を他人から差別化したいと思っている最後の、そしておそらくもっとも深い理由は、自由で平等なアメリカ社会で生きることにともなう漠然とした不安、落ち着きのなさである。

階級や身分が固定し伝統やしきたりが強固に残る社会では、よくも悪くも自分の居場所がはっきりしている。競争してもしなくても変わらない。しかし人々が平等であり自由であり互いに他人である社会では、自分が誰なのかどこに属するのかがわかりにくい。そのため自分が誰で他の人とどう異なるのかを常に示さねばならない。そうでないとお互いに他人である巨大な社会のなかで、個人は無名のまま孤独になり方向性を失う。忘れられてしまう。

それを防ぐには他者との競争に勝って存在を示し、自らを差別化しつづけねばならない。楽なことではない。途中で脱落する人が大勢いる。自由に疲れた人々が自由から逃げ出す。居場所を与えてくれる専制に身を委ねる危険さえある。自由は面倒であるだけでなく、しばしば怖い。

2　日本人と差別

自由・平等との出会い

ペリーが来航した幕末以来今日までアメリカへ渡った多くの日本人は、この共和国で自由、平等、差別をどのように経験し受け止めただろうか。

興味深いことに開国から日露戦争の前後まで、日本人はアメリカの自由と平等についておおむね好意的に見ていた。一八四三年に日本人としておそらく二番目にアメリカ本土へ渡ったジョン万次郎こと中濱萬次郎は、帰国後薩摩藩での尋問に答えて、

「王往来スルニ、一僕位ニテ至極軽体ナリ。官物ニテモ往来権柄ヲトルトイフ事ナシ。（中略）民百姓ナリトモ学問次第ニテ、挙ゲ用ヒラル」（川澄 二〇〇一）。

と語った[2]。大統領でさえ部下を一人連れただけで方々へ出かける。役人も町で威張らない。身分に関係なく能力のある者は抜擢されて用いられる。万次郎はそう的確に述べている。

万次郎と同様、幕末海路江戸へ向かう途中に難破しアメリカ商船に救助されてアメリカ本土へ渡ったジョセフ・ヒコこと濱田彦蔵（ひこぞう）も、この国で体験した平等の様子を自伝で詳細に述べている。舞踏場の舞台に仲間と並んで座らせられ見せ物にされるなど、不愉快な経験がなかったわけではない。しかし総じて言えばヒコは対等に遇された。大方のアメリカ人はごく自然な態度で彼に接した。

ヒコは日本人としておそらく初めて、ピアス、ブキャナン、そしてリンカーンの三人の大統領をホワイトハウスに訪ねている。世話になったアメリカ人と一緒に行った。当時は週に一度面会日があって、だれでも大統領に会えた。最初の訪問の際しばらく待つと、「［ピアス］大統領自身立て我々を迎

ひ入れ、手を握り礼終りて、『サンドス』（ヒコをホワイトハウスに連れていった人物）より我うへを告れバ、我が手をも握り、自ら脚かけをもちて我を座につけ」た（浜田 一九六四）。ヒコは大統領が対等に話しかけてくれたのに、驚いている。

この二人の他にも、福澤諭吉、津田梅子、新島襄など、幕末から明治初期にかけてアメリカへ渡った日本人はあからさまな差別を受けることが少なく、親切なアメリカ人多数に出会い、人によっては生涯の友を得て帰ってきた。

国家としてのアメリカも、明治時代を通じて日本に親切であった。自分たちの力で日本の開国を実現した自負もあったのだろう。「当時日本人がアメリカに好意を持っていたことは、疑いない」と高坂正堯は書いている。高坂によれば、一八七九年に日本政府がコレラ流行地から到着したドイツ商船を検疫のため横浜港外に留め置こうとした時、ドイツ政府は治外法権のもとで日本政府にそのような権限はないと、この商船を無理矢理入港させた。そのためにコレラ感染患者が東京と横浜で激増したという。日本人は憤激したが、アメリカの「ビンガム（公使）だけは初めから日本政府の措置を正当」と認めた。イギリスなどと比べて、この国はいかにも公平であった（高坂 一九九六）。

同様に下関戦争の結果受け取った賠償金八〇万ドル近くを、事件から約二〇年後に明治政府へ返還している。長州藩が一八六三年馬関海峡（関門海峡）を通過する仏蘭米三カ国の商船・軍艦を砲撃して損害を与えた責任を取らされ、幕府は三〇〇万ドルの賠償金支払いを約束。幕府が半分、債務を引き継いだ明治新政府が残りの半分を支払った。しかしアメリカ政府は自国商船の損害がほとんどなく、四国艦隊による報復砲撃にも武装した商船が形式的に参加しただけだからという理由で、賠償金の返還に踏み切る。返還された資金は横浜港大桟橋の前身である鉄桟橋建設の原資にあてられた。

条約改正の交渉においてもアメリカ政府は日本の立場に理解を示し、他のヨーロッパ列強と対照をなした。改正を主導した陸奥宗光などは、アメリカの交渉態度をきわめて好意的にとらえている。岡崎久彦は「陸奥はアメリカの善意に対してだけは、特別な信頼を置いていた」と記す。「一時はアメリカ永住を考えたほど」だった。明治十年代の初め獄中にあって勉学に集中した時期に詠じた詩の中で、世界史は「中外六大州の治乱、上下三千年の興亡」に満ちていて正しい戦争などなく、「強食弱肉、屠場に似たり」。しかしその中にあって「読み来たりて、瑞気眼底を藹すは、一篇　米国独立の章」とまで褒めている（岡崎　一九九九）。一八世紀後半にイギリスから独立して以来ヨーロッパ列強からの脅威にさらされてきたアメリカは、同じヨーロッパ列強の脅威に直面しながら近代化・産業化に取り組む日本に対し一種兄貴分のような意識をもち、好意的に振る舞ったようだ。

アメリカは自由で平等な国家である。アメリカ人は日本に対して好意的かつ公平であり、日本人を差別しない。幕末に二度アメリカを訪れた福澤諭吉は、もっとも早くそうした理解を日本中に流布した人物である。『西洋事情』初編巻二では、

「天の人を生ずるは億兆皆同一轍（どういってつ）にて、之に附与するに動かすべからざるの通義（つうぎ）を以（もっ）てす。即（すなわ）ちその通義とは人の自（みず）から生命を保し自由を求め幸福を祈るの類（たぐい）にて、他より之を如何（いかん）ともすべから

ざるものなり」（福澤 1 二〇〇二）。

と、トマス・ジェファソンが起草した有名なアメリカ独立宣言の一節を意訳して紹介した。明治五年に著した『学問のすゝめ』初編では、「人は生まれながらにして貴賤貧富の別なし。ただ学問を勤めて物事をよく知る者は貴人となり富人となり、無学なる者は貧人となり下人となるなり」（福澤 2 二〇〇二）と、宣言を敷延して述べた。アメリカ流の能力主義を的確にとらえている。

平等と能力主義の思想は幕末から明治初年にかけての時代にあってまことに革新的であり、多くの若者に大きな影響を与える。野心ある多くの若者が自分たちの能力を信じてアメリカを目指した。留学生には会津藩士山川健次郎（イェール大学）やその妹捨松（すてまつ）（ヴァッサー大学）をはじめ、戊辰戦争の際に官軍と戦って敗れた賊軍の武士の子弟が多かった。

福澤自身も若者に渡米を勧めた。「富貴功名は親譲りの國に限らず」という文章で、「働きたくても仕事がない」と言うが、「徒らに故郷の山水に戀々して、働くに仕事なく儲くるに錢なしの嘆を爲し、坐して仕事の來り錢の降るを待たんより、いつその事自ら足を運びて仕事に就き自ら錢を造るの工風は如何。東方に國あり、アメリカと云ふ。國新らしくして人少なく、土地廣くして季候美なり。農業、工業、商業ともに仕事澤山にして賃銀高く、親譲りの門閥もなく財産もなく、唯一ツの己レノ腕前を恃み安く此世を渡らんとするには、最も都合のよき國柄なり」。しかも共和政治の仕組みを取っているから、選挙に勝てば誰でも議員や知事になれる。将来「日本生まれの新アメリカ人等が、大に同國政治上の権力を左右」することさえありうる。日本人も移住して自分の力を試したらいいと勧めた（福澤 3 一九七〇）。

一方若い時アメリカへ渡り苦学した片山潜は、日本へ戻ってから「渡米協会」という団体を組織し、日本人青年に米国行きを奨励した。のちにマルクス・レーニン主義の革命家へ転じモスクワに亡命して客死した片山だが、若いころにはアメリカを絶賛していた。

「日本に於いて苦しき勉強したいと云ふ希望あるものは、宜しく米國に行け。（中略）米國は諸氏のために攻學の道を開けり、米國は諸氏のために大ひなる同情を表せり」（片山 一九九一）。

と、アメリカは個人の力量を重んじ均等に機会を与える国だと力説した。

差別された日本人

日露戦争後アメリカへの強い反発さらには敵意さえ生んだのは、戦争を境に日米関係初期の蜜月が終わる頃から目立ちはじめた日本人に対する差別である。

日本人はアメリカでの差別に敏感であった。二〇世紀初頭以降の西海岸における日本からの移民禁止運動の高まり、とりわけ一九二四年移民法の排日条項（いわゆる排日移民法）は太平洋戦争の遠因になったとさえ言われる。太平洋戦争後も今日に至るまで、日本の反米主義者は人種差別をアメリカの理想主義に反する最大の偽善、原罪ととらえて非難を続けた。

しかし差別は人によってずいぶん感じ方が違う。キリスト教を学ぶため幕末の一八六四年アメリカへ渡りアマースト大学で学んだ新島襄は、差別を受けても強く反応しなかった。神の教えを日本に伝えるという大きな目標の前で、それは大した問題ではなかった(本井 二〇〇五)。

新渡戸稲造はアメリカへ向かう船中でスコットランド人の老人から、「西洋の習慣にも悪い事が沢山あって、君の国に劣る事も多い、然るに君は悪いことを研究する為め万里の波濤を超えるのではない。御国の益になる様な事にのみ、着眼して善き事計り学んで来なさい」と言われ、以後一貫してアメリカのよい面を観ようとつとめた(新渡戸 一九六九)。差別されなかったわけではないが、得意の英語で反論してさほど気にしなかった。フィラデルフィアのクェーカー派の教会で知り合ったアメリカ女性と結婚してもいる。

しかし新島と同じくアマーストで学び、帰国後新島と同様にキリスト教の教会指導者として活躍した内村鑑三は、ずいぶん違う。彼は東京英学校(のちの第一高等学校)と札幌農学校で新渡戸と一緒に学んだが、アメリカへ渡った日本人の中でおそらくもっとも痛烈に人種差別を意識した人物であった。

苦学生の内村はキリスト教の集まりに招かれて出席し信仰告白を行い、講演料をもらって生活費の足しにしていた。彼はこれを苦にする。著書『余は如何にして基督信徒となりし乎』のなかで、信仰告白をする自分自身をサーカスのサイになぞらえている。

「何という驚くべきショーよ！　つい最近まで木や石の前にお辞儀をしていたが、しかし今はこれら白人たちの神と同じ神を告白している！（中略）馴らされた犀は生きた例証である。（中略）そして見られて甘やかされることの好きな犀どもは喜んでこれらの人々の命令に従い、はなはだ見苦しい態度で、どうして自分たちが動物であることをやめて人間のように生き始めたかを物語るのである」（内村 二〇一七）。

熱心なキリスト教徒であった内村はアメリカの物質的、金権的社会のあり方にも失望し、アメリカが大嫌いになって日本へ帰ってきた。帰国後に内村が無教会主義という運動を始めたのも、畢竟アメリカの教会に影響されたくないという気持ちの表れであったのだろう。内村は最初の反米日本人であった。

差別が強まった理由の一つは、日本からの移民が増えるにつれてアメリカの白人、特にカリフォルニアの人々が日本人を経済上の脅威と感じはじめたためである。第一次世界大戦後、全般的な移民制限の風潮のなかで制定された一九二四年の排日移民法は、その頂点であった。

第2章で紹介したペンネーム谷譲次、本名長谷川海太郎は、あしかけ七年間アメリカを放浪したあと排日移民法が制定された一九二四年に帰国した。滞米中の経験をもとにして、この時代にアメリカで日本人がどんな風に生きていたか、どんな差別を受けたかを、「めりけんじゃっぷ」シリーズに綴っている。

シアトルに上陸した「私」は、留学先の大学がある中西部の都市を目指して大陸横断鉄道の列車に乗った。まだ一八歳、夕食の時間になると食堂車へ向かいテーブルについてステーキを注文する。黒人の給仕はていねいにサービスしてくれた。ところが次の朝再び食堂車へ行くと無視される。入口でいつまでも待たされた挙句に、あとから来た客が先に席へ案内される。給仕たちが彼をにらみ、わざと肘をぶつけたり肩で押したりする。これこそ日本で聞いていた排日に違いない。怒りがこみ上げた。給仕人長の腕をつかんでテーブルに案内させ無理矢理トーストにありつく。

こんなことが一日三度続いた。ところが途中ミネアポリスの駅で停車中、黒人給仕の一人が近寄ってきて小声でささやく。

「お食事のあとでチップをお置きなさい。十セントでも、二十セントでも。日本人は気前がいいので有名なのに、あなたは一片(ペニー)も置かないからみんなに嫌がられていますよ」。

長谷川はチップの風習をすっかり忘れていた。ああそういうことだったのかと大いに反省して次の食事のときに弾んだら、給仕の態度が掌を返すようにがらりと変わった。

「えとらんぜはえてしてこうした僻(ひが)みを持ちやすい。排日でも何でもないことをこの僻(ひが)みからそう解釈して、かえって、先方を白眼で見ることによって、事態を悪化させて、ほんとの排日の原因をつくるようなことはないかしら。（中略）個人としてはわりに単純で銘達な亜米利加人に、不必要にして不愉快な気持を抱かせて、そこらから排日の煙りをあげるようなことが、万が一にもありはしないか」（谷　1　一九七五）。

差別は誤解によっても生じると、長谷川は醒めた分析をしている。

親米と反米のあいだ

戦後アメリカへ渡った日本人知識人のなかにも、反米になった人が存外多い。敗戦の悔しさ、占領の不快な記憶、その圧倒的な豊かさに対する劣等感、国粋的な思想、あるいはマルクス主義から観た資本主義体制の否定といった複雑な感情や信条が背景にあった。彼らはアメリカの民主主義、自由と平等といった建前に懐疑的であり、まったくの偽善だと否定する者さえいた。

その代表である第2章で言及した小田実がもっとも不快に感じたのは、黒人に対する差別である。南部へのバス旅行中、ミズーリ州の片田舎のバスデポに停車する。その衝撃で目を覚ました小田の目に入ったのが白人用と黒人用の二つの掲示板であった。

「こうして、私は生まれて初めて、同じ人間でありながら区別されている世界の一つに入った。『白人用』待合室のまんまんなかで、私はおちつかない気持であたりを見まわした。（中略）ガラス窓があり、それごしに、向こうの別世界、『黒人用』待合室が見えた。うす暗く狭く汚い。そして、こちらの世界にはわずか五六人の客しかいないのに、それよりはるかに小さい別世界は、人間――黒い色をもった人間でみちていた」。

小田はまたニューヨークで初めて摩天楼を見る。そしてそこにアメリカの疲労を感じる。

「たしかに、かつては摩天楼は自由の女神像とともに、自由の新天地アメリカの象徴であったかもしれない。（中略）だが、今、摩天楼は年老いてしまっている。（中略）アメリカの何よりもの象徴だった『自由』に、さまざまな歯止めがかけられ、薄汚い疲労のようなものがこびりついているのを見る」（小田　一九七九）。

アメリカの民主主義、自由と平等の思想、理想主義、正義感を懐疑的に見るのは、小田に限らない。江藤淳、西部邁、石原慎太郎、大江健三郎なども、アメリカへの反感、嫌悪感をうちに秘めていた。右であろうが左であろうが、この人たちの少年期は占領期と重なっている。彼らにとってアメリカ人は何よりも征服者であり支配者であり、それゆえの反発が強かった。

可能性の泥沼

しかしアメリカに渡った戦後の日本人のなかには、もう少し異なった視点からアメリカの自由や平等について、また差別や競争について、見た人考えた人がいる。

同じく第2章で言及した作家の安岡章太郎は、南部の都市ナッシュビルに滞在して公民権運動のただなかに身を置き、この国の人種差別が実はとても複雑であることを感じた。この人にはもともと劣等生コンプレックスがあり人一倍差別に敏感であった。ナッシュビルを滞在先に選んだ理由の一つも、白人から差別を受ける黒人の状況に興味を抱いたからである。

安岡はアメリカで日本人に対する差別を体験したし、黒人に対する強い偏見も目のあたりにした。しかし安岡はそうした現象の奥にある人間の感情の複雑さに目を向ける。安岡に英語を教えた北部出身で宣教師の未亡人であるP夫人の家族は、珍しく黒人支持の立場に立っていた。対照的に彼女の親友S夫人は土地っ子の黒人差別主義者であった。

二人はめっぽう仲がよく一緒になって安岡夫妻を教会の集まりに引っぱりだそうと画策しているのだが、S夫人は差別反対派のP夫人のことを「好い人だけれど、あれで黒ん坊（ニグロ）のことさえ黙っていてくれたらねえ」、「自分の家にニグロを呼んできて、わざわざ同じテーブルで食事させるのは馬鹿げたことだ」と嘆く。一方、黒人差別に反対するP夫人は「南部の人は頭のはたらきが鈍くて」、「小学校へ行っている末娘が汚い南部ナマリをおぼえてきて困る」、などなど南部の悪口を言いまくる。

安岡は黒人を差別する南部の人たちが、同時にたいへん温かくて親切な人々であることにとまどった。差別の実態を見るためにS夫人に勧められて彼女の出身地でありより強い差別意識の残るテネシー州西部のブラウンズヴィルを訪れたときには、夫人の母親、兄弟、親戚、市長にまで手紙や電話で連絡を取ってくれて、そのおかげで訪問中大歓迎を受ける。

こうして南部人の親切、南部の風物や南北戦争の歴史などに触れるうちに、安岡は南部に対しある種の共感を覚えはじめる。黒人差別を許しがたいと思う気持ちは変わらなかったが、そうした否定的側面をもふくめて南部の歴史や風景、地理が、そして周囲の人たちが、次第に親しみ深いものに変わる。「顔の特色は最初、自分と相手のちがいを感じさせるが、見慣れるうちに、その顔はやがて自分の中に這入ってくる。いま私はP夫人を見ても彼女がアメリカ人であるとは思わず、自分の顔のことをもまた忘れてしまっている」（安岡　一九六二）。白人と黒人の個々の関係を偏見や差別でひとくくりにはできないという指摘は、今でも正しいように思われる。

自由かつ平等でなければならないアメリカ。差別してはいけないアメリカ。だからこそ競争に勝たねばならないアメリカ。そうしたアメリカで生きていくことのつらさ孤独さを著書『このアメリカ』で生き生きと描いたのは、劇作家の山崎正和である。山崎は小田と同じフルブライターとして一九六四年にアメリカへ渡り、イェール大学の演劇学科に籍を置いた。在学中に山崎の戯曲『世阿弥』の英訳版『ZEAMI』をニューヨークはオフブロードウェーの劇場で公演する話がもちあがり、紆余曲折を経てそれを実現させる。資金と劇場を確保し、キャストのオーディションを行い、最初に起用した舞台監督を解任し、なんとか初日にこぎつけるその過程は手に汗をにぎる一つの物語である。

山崎は本場ニューヨークでの公演に成功して誇らしく思い、世界の舞台でやっていけるという自信を得た。ただこの成功を機に日本へ帰ろうと決めてもいた。公演打ち上げの夜開かれた祝宴で、山崎は出演女優から同作品巡回公演の計画について訊かれる。彼女とダンスをしながら山崎は、「君たちの成功を祈るよ。だけど僕はもう帰らなくっちゃ」と述べた。女優は驚いて目を見張る。「あなた国へ帰るつもりだったの？」、「あたりまえじゃないか」、「なぜ？」。彼女は信じられないという風に、甲高い声で叫ぶ。「せっかくここまで来て、それだのに国へ帰るつもり！　なぜ？　なぜなの？　馬鹿げている」と感情的に反発した。

また宿泊していたホテルで荷物を片づけていると、若いメイドが「どうしたの。ホテルを移るの？」と尋ねた。「いや、国に帰るんだよ。日本へね」、「国へ帰る？　だってあなたは、このあいだ芝居が成功したといったじゃないの」。プエルトリコに恋人を置いたまま単身で海を渡りニューヨークで看護師になろうとしている彼女は、裏切り者でも見るようにその場に立ちつくしていた。

この二人にとって山崎はアメリカでの成功をめざす「同志」であった。彼らを置いて帰るのは「自分が結局異邦人であったということを」打ち明けたのに他ならない。山崎は舞台の成功によってアメリカ人としてアメリカで成功するチャンスを得た。それはまぎれもない事実であり感謝すべき幸運であった。しかしアメリカ人になりきるには、成功を信じつつ終わりのない道を生涯歩かねばならない。山崎はこれを「可能性の泥沼」と呼んだ。そしてその外へ出る道を選択したのである（山崎 一九八二）。

だれもが自由であり、だれもが平等であり、だれにでも夢を見る権利があるものの、夢が実現する保証はない。一つ夢が実現したらまた次の夢を追って成功せねばならない。それが泥沼かどうかはわからないが、アメリカの自由と平等には確かにそうした一面がある。

註

（1）2021 Best Law Schools Ranked in 2020 - Best Grad School US News Rankings, https://www.usnews.com/best-graduate-schools/top-law-schools/law-rankings

（2）「島津家國事鞅掌史料」。

第7章　トクヴィルのアメリカ

What is America to me?
A name, a map, or a flag I see
A certain word, democracy

Lewis Allan and Earl Robinson, *The House I Live In*.

1　『アメリカのデモクラシー』

海を渡ったトクヴィル

多様なアメリカと異質なアメリカ、まとまるアメリカとバラバラなアメリカ、私のアメリカとみんなのアメリカ、孤独なアメリカと群れるアメリカ、自由なアメリカと平等なアメリカ、区別するアメリカと競争するアメリカ。本書ではここまで著者自身の経験を通じて、またアメリカを訪れた日本人の観察を追って、アメリカ社会のこうした側面を記してきた。時に矛盾し対立するアメリカがそうした矛盾ゆえに抑制しあい均衡し、また活力に満ちていること。しかし矛盾や対立のなかには、アメリカの負の遺産として現在に続くものがあることを示そうと試みた。

アメリカはヨーロッパやアジアから遠いけれども、それでも植民地時代以来多くの人が海を越えて訪れ、故国へ戻ってからこうした特徴をもつアメリカ社会について色々な観察や感想を書物に残してきた。そのなかには多くの誤解や偏見もあったが、現代のアメリカに通じる鋭い分析を残した人物も少なくない。

なかでも一八三一年五月友人ボーモンと共にアメリカへ渡り、一〇カ月にわたって当時のアメリカ合衆国のほぼ全域とカナダ東部の一部を旅して周ったフランスの若い貴族アレクシ・ド・トクヴィルは有名である。この人が帰国後に著した『アメリカのデモクラシー』は、アメリカ社会を詳細に観察し鋭い分析を加えた古典として、今日でも広く読まれている。アメリカの多様性と統一性、公と私、自由と平等を、トクヴィルはどのようにとらえたのだろうか。

オルバニーの多様性

今日のレベルには到底及ばないものの、人々のあいだの多様性は植民地時代から一貫してアメリカの一つの特徴であった。トクヴィルは訪米した一八三一年、すでにこの国の人々が実に多様であり特定の型にはめられないことに強い印象を受けている。ニューヨークの州都オルバニーで遭遇した独立記念日のパレードでは知事をはじめとする州のお歴々だけでなく、町の消防団、聖アンドリュー教会の会衆、印刷業写植組合、新聞協会、機械工の友愛結社、大工の同盟、肉屋の組合、塗装職人の同盟など、さまざまな職種の団体が実に楽しそうに行進するのを目撃した。ごく普通の市民が誰に強制されるわけでもなく、自由に参加して自由に行進する。現代のアメリカでも始終見る光景だが、一九世紀前半、フランスからやってきた貴族の目には新鮮に映った。

言うまでもなく一九世紀前半の多様性はあくまで白人のあいだでのこと、しかもその大部分がプロテスタントのキリスト教徒であった。黒人やインディアンはそのなかに入れてもらえない。それでもなお、階級のないアメリカであらゆる職業、団体、地位の人が一つになって行事に参加するのは、今日見られるアメリカの多様な社会の原型をなしているように思われる。

アメリカでは「生まれによる特権はかつて存在したことがなく、富はその所有者になんら特別の権利を付与しないから、未知の他人が喜んで同じ場所に集まり、自由に意見を交換することで得をしようとも思わなければ、損をする危険があるとも考えない」と、トクヴィルは記している（トクヴィル 4 二〇〇八）。

白人に限られているとはいえ、この多様でバラバラなアメリカ人たちが時に一つとなる現象もトクヴィルは観察している。パレードのあとメソジスト教会で催された記念の式典で独立宣言の朗読が始まると、人々の態度はうって変わった。「朗読のあいだ、聴衆は水を打ったように静かであった。英国の暴虐が列挙される箇所に達すると、あちこちで怒りのつぶやきが漏れた。独立の正義と自由なアメリカを讃える箇所にさしかかると、まるで電気で打たれたかのように、聴衆は感激で心をふるわせた」[1]（Pierson 1996）。

多様性と統一性は、トクヴィルの時代すでに一体でアメリカ社会に存在していた。

公と私

アメリカ人は個人主義的であり勝手でわがままであるのに、しばしば見も知らぬ他人に対して親切であり共通の目的実現のために協力し合う。一方に「個」のアメリカがあり、他方に「みんな」のアメリカがある。トクヴィルは両者の関係をアメリカにおける公と私の問題としてとらえた。両者のあいだにどのように線を引きバランスを取るか、矛盾と対立をいかに相互の調和と強化につなげるか、革命後のフランスと比較しながら考えた。

トクヴィルによれば革命前のフランスは王族・貴族を中心とする階級社会・身分社会であり、人々は自分が社会のなかでどこに位置しだれとどうつながっているかを明確に理解していた。勝手に身分を変え自分が属する共同体を離れるのは難しくだれもが見えない鎖でつながれていたが、同時に安心と落ち着きがあった。

ところが革命の結果、人々は階級社会、身分社会の束縛から解放された。その結果人と人とのつながりが絶たれ既存の社会秩序は完全に失われたが、その代りとなる新しい秩序がもたらされたわけではない。動乱・戦争が起こり、共和制から恐怖・独裁政治、帝政、王政復古、立憲君主制、共和制と転変を繰り返し、混乱が続いた。トクヴィルはそうした時代に生を受け成人した。

　民主化はとどめようのない現象だとトクヴィルは認識していたが、伝統と習俗が欠如し人と人とのつながりが薄く核化した社会では個人が利己主義に陥り、社会全体の利益を忘れてしまうのではないかと恐れもした。人々は公のことがらに無関心となり自ら関与しようとせず、その結果多数の支持を受ける個人や党派が独裁体制を確立し無力な人々を押さえつけてしまう危険がある。人間相互の孤立と不信、利己主義と無秩序は、王制や貴族制と比較にならないほどの圧政を生み出しかねない。それは当時のフランスで現実に起きていることだった。

　民主化は必然的に社会の分裂と混乱を意味するのか。穏やかで秩序ある民主制は可能なのか。そうした疑問への答えを若き裁判官として模索していたトクヴィルがアメリカへ旅立ったのは、一足先に民主化を実現したアメリカの実態を自らの目で確かめるためであった。

　トクヴィルの見たアメリカでも、個人はバラバラでありがちであった。ボストンやヴァージニアなど二〇〇年以上の歴史を重ねて、ある程度しきたりや組織を確立した人々のつながりが強い共同体はあったが、それも変化しつつあった。特に住民の大多数が過去三〇年間に移住してきたという山の向こうのオハイオ州には何も伝統がなく、だれもが自分の運を信じ成功を求めて動いていた。トクヴィルはシンシナチで受けた印象を次のように記録している。

「彼らは今ミシシッピの沃野に、過去とは何も類似点を有さず、ヨーロッパとはただ共通の言語だけでつながっている新しい社会を建設しつつある。ここでは、世界広しといえども他では決して見ることのできない、特殊な社会状態が観察できる。まったく前例にとらわれず、伝統を有さず、習俗がなく、支配的思想さえ持たない一群の民が、ためらうことなく私的、公的、政治的立法の道筋を確立する」(Pierson 1996)。

それでもトクヴィルは、この国の個人と社会のつながり方が革命後のフランスとは少し違うという印象を受ける。アメリカは革命によって体制の崩壊、個人の核化と孤立化が起きて無秩序になったのではない。社会全体を律する体制がそもそも初めからなかった。彼はその点に注目する。

植民地時代のアメリカには宗主国のような確立された警察や軍隊の組織あるいは立法府、行政府と司法府がなかったので、公の仕事は自分たちで手分けして行わざるをえなかった。独立革命発生の地の一つであるボストンを訪れたトクヴィルに、ユニタリアン教会の指導者であるスパークス師は、

「我々の祖先は、共和主義者としてまた熱烈なキリスト教信者として、この国へやってきました。そして世界の片隅で忘れ去られ、自分自身しか頼るものがなかったのです」(Pierson 1996)。

と語った。そうした境遇に置かれたからこそ公のことを自分たちでやる習慣がついた。合衆国誕生後もアメリカでは政府の役割が長く限定されていたため、公の仕事を自分たちでする気風がますます強

まった。

「政府が口出ししない結果、個人が自分自身で何でもやる習慣がつく。他からの助けを求めず、自分で考え自分で対処する。（中略）大学、病院、道路などを建てよう、改良しようとするとき、政府に陳情することなど考えもしない。計画を発表し自分で実行に移し、他の人々の援助を求め、困難を乗り越えるために一所懸命働く」（Pierson 1996）。

との感想を、トクヴィルは残している。

タウンミーティング

こうした発見を踏まえ、より健全な民主主義政体を実現する可能性をアメリカに見たトクヴィルは、この国で人々が公のことがらに関与しつづけるのを可能にし勧奨するいくつかの制度に注目した。その一つがニューイングランドで生まれた自治のかたち、タウンミーティングの仕組みである。

トクヴィルはタウンミーティングを高く評価する。タウンは地域の共同体、行政の最小単位である。収税人、保安官、戸籍係、教育委員、道路保安官など細分化された数多くの公職があり、それぞれに住民が任命される。任命は拒否できない。報酬は支払われるが固定給はない。行政権の大半は毎年改選されるセレクトマンと呼ばれる少数の個人が握るけれども、新しい学校を一つ建てるかどうかなど重要なことがらを決定するには、住民全員からなるタウンミーティングを招集し承認を得ねばならない。

こうしたタウンに人々が愛着を感じるのは「それが強力で独立の存在だからであ」り、関心をいだくのは「住民がその経営に参加するからである」。「多くの人々がタウンの力に与る(あずか)ことから自分の利益を引き出し、自分自身のためにタウンに関心を寄せる」。そして「地域の権力を多数の市民の間に分掌させるだけでなく、自治に関わる義務を増やすことも恐れない。(中略)自治の営みはいわば一刻一刻息づいている。毎日義務を遂行し、権利を行使する中にその営みが現れている」(トクヴィル 1 二〇〇五)。

トクヴィルはこう説明する。

民主主義の学校

もう一つが陪審裁判の制度である。陪審裁判はイギリスの制度を北米植民地で継承したものであり、刑事事件と多くの民事事件の裁判において市民から選ばれた通常一二人の陪審員が評決を下す。判事の指示に従って、刑事裁判では原則として被告が有罪か無罪かのみを判断する(量刑は通常判事が行う)。民事裁判では原告勝訴か被告勝訴か、前者の場合は賠償額など救済の内容を決定する。アメリカでは現在も刑事民事の陪審裁判が行われており、司法制度の一つの柱をなしている。

トクヴィルは必ずしも陪審裁判が常に正しい結果を出すとは限らないことを、判事や弁護士から教えられた。それでもなお陪審裁判が重視されている。ある連邦巡回裁判所の判事は、「我々判事は場合によって陪審員の評決を無効とし、新しく陪審員を選んで再審理するよう地裁へ差し戻す権限をもっています。けれども実際にこの権限を行使することは、ほとんどありません」。

と語った。「人々は陪審員が下した評決に絶大な信頼を寄せてい」るからである（Pierson 1996）。トクヴィルはここに陪審制度の大きな意味を見る。

「陪審制は市民一人一人をある種の司法職に任じる。すべての人に、社会に対して果たすべき義務のあることを感じさせ、また統治に参加しているという実感を与える。自分自身の仕事とは別の事柄への関与を強いることで、社会の錆とも言うべき個人的利己主義と戦うのである」。

「陪審制は人民の判断力の育成、理解力の増強に信じられぬほど役立つ。私の見解では、これがその最大の利点である。それは無償でいつでも開いている学校とみなすべきである」（トクヴィル２　二〇〇五）。

アソシエーション

トクヴィルはさらに、アメリカに存在するアソシエーション（私的団体）の存在に注目した。孤独なはずの個人が何かというと集まって団体を結成する。「年齢、境遇、考え方の如何を問わず、誰もが絶えず団体をつくる」（トクヴィル　3　二〇〇八）。

その典型が禁酒協会であった。人々が集まって酒を絶つことを誓い互いに励まし合って実行するのを目標とするこの組織が、当時ニューヨークに七二七、マサチューセッツに二〇九、ペンシルヴェニアに一二四、全国で二〇〇〇以上あるとトクヴィルは教えられた（Pierson 1996）。

現代のアメリカでも人々は共通の目的や信条、趣味などのために集まる。一般的なのは社交のためのクラブである。多くのアメリカ人がロータリークラブ、ライオンズクラブといった団体に加盟する。必要最低限の条件さえ満たせば原則として誰でも入れる。そして目立つのが好きだ。対照的にイギリスの社交クラブは格式が高いほど目立たない。ロンドン中心の官庁街の奥にひっそりと建ち、ドアには何も書いていない。然るべき人の紹介がなければなかに入れないし、メンバーにもなれない。

その他にも、高校や大学の同窓会、南北戦争の模擬戦を行う団体、日系アメリカ人の団体、イタリア系アメリカ人の協会、同性愛者の権利を推進する団体、保守的な司法を目指す団体など、ありとあらゆるアソシエーションがある。そして地域ごとに支部をつくり、年に一度の全国大会で規約を改正し会長を選挙で選び、盛大なパーティーを開いてお互いに親交を深める。アメリカ人は群れるのが大好きだ。

個人主義に徹するアメリカ人がなぜこのように群れたがるのか。トクヴィルは、「貴族社会にあっては、人々が全体として固く結びついているから、行動するために結社を作る必要がない。そこでは、富と力を有する市民が、それぞれ、恒久的で脱退できない一つの結社の長のようなもので」ある。一方、「民主的な国民にあっては、市民は誰もが独立し、同時に無力である。一人ではほとんど何をなす力もなく、誰一人として仲間を強制して自分に協力させることはできそうにない。彼らはだから、自由に援け合う術を学ばぬ限り、誰もが無力に陥る」（トクヴィル　3　二〇〇八）と説明する。

こうしてアメリカのアソシエーションは、孤独な人々を結びつけ、共通の目的に向かって力を発揮することを可能にする。孤立しがちな個人を束ねて公的な役割を果たさせる。しかしヨーロッパの結社とは異なり、同じ目的や目標を掲げながら拘束力が弱い。気軽に集まって団体をつくるが、しばらくすると雲散霧消する。加入も自由。脱退も自由。トクヴィルの時代にもそうだったらしい。

「アメリカ人もまた、結社の内部にこれを治める一つの機構を置いた」が、「それは、そう言えるとすれば、市民的な政府である。個人の独立がそこに役割を果たしている。（中略）すべての人が同時に同じ方向に歩むが、まったく同じ道を歩く義務はない。自らの意志と理性を犠牲にするのではなく、共通の事業を成功させるためにそれぞれの意志と理性を活用するのである」（トクヴィル　2　二〇〇五）。

アメリカの公と私のあいだの微妙なバランスがこうして保たれていることは、トクヴィルにとって民主政体が将来あるべき姿への示唆に富んでいたようである。

2　自由と平等

諸階層の平等

『アメリカのデモクラシー』の冒頭で「合衆国に滞在中、注意を惹かれた新奇な事物の中でも、境遇の平等ほど私の目を驚かせたものはなかった」(トクヴィル　1二〇〇五）と述べたとおり、トクヴィルはアメリカで人々のあいだに存在する平等へ何よりも強い関心を示した。そして平等はトクヴィルによるアメリカ分析の中心テーマになる。このフランスの貴族は、人々がお互いに対等な関係にあり地位や役職に関係なく直接やり取りするのに深い印象を受けた。実際『アメリカのデモクラシー』のデモクラシーということばは原著のフランス語で *démocrati* であるが、民主主義の他に平等という意味があると言われる。

ニューヨークに到着早々、トクヴィルとボーモンは同市に滞在中の知事に招かれて面会した。合衆国の州は独立国家に近い。知事といえばいくら共和国とはいえ君主にあたる人だろう。二人のフランス貴族は緊張して出かけたが、彼は普通の宿屋に泊まり何の儀式もなく気軽に会ってくれた。知事は平素、ニューヨーク市の北に位置する州都オルバニーにいる。トクヴィルたちはしばらく後にこの町を訪れ郊外にある知事の私邸を訪ねた。ボーモンはそのときの様子を姉に手紙で報せる。

「知事はごくきさくな人です。あまり金持ちではありません。知事の給料は安いのです。だから一年のうち議会が開かれている五カ月から六カ月だけオルバニーで過ごし、あとはこの田舎の家に引きこもります。知事はこの農場で畑を耕しています」（Pierson 1996）。

国家元首に近い立場の人間が自分で畑を耕して生計を立てている。フランスの貴族には想像しがたい光景であった。

トクヴィルはアメリカで平等が当たり前であることを繰り返し体験する。ある刑務所では検察官が囚人と握手しているのを見て驚いた。

「アメリカには少なくとも表面上、信じられないほどの平等が行き渡っている。すべての階層の者が、常に互いに交流している。社会的地位の差ゆえの傲慢は、露ほども見かけられない。みんな握手を交わす」（Pierson 1996）。

主人と召使いの関係も同様である。

「白人の従僕が、自分は主人と平等だと思っているのは、まちがいない。彼らは実に親しげに話す。（中略）大体、アメリカには下僕という人種がほとんどいない。自分たちの義務はあくまで『助け』

になることだと思っている」（Pierson 1996）。

こうした平等な社会で人々はごくきさくにつきあう。

「アメリカには生まれによる特権はかつて存在したことがなく、富はその所有者になんら特別の権利を付与しないから、未知の他人が喜んで同じ場所に集まり、自由に意見を交換することで得をしようとも思わなければ、損をする危険があるとも考えない。（中略）彼らの話しぶりは自然で率直、そしてオープンである」（トクヴィル　4　二〇〇八）。

だから、とトクヴィルは記す。

「デモクラシーは人と人との結びつきを強めないが、人々の普段の付き合いをよりくつろいだものとする」（トクヴィル　4　二〇〇八）。

平等の不安

アメリカの人々が自由で平等であるのをトクヴィルは好意的にとらえたが、手放しで賞賛したわけではない。その問題点や危険性についても十分理解していた。とりわけ自由と平等がある種の不安、落ち着きのなさ、無力感をもたらすことを、アメリカで観察した。

「私はアメリカでこの上なく自由で最高に開明され、世界でいちばん幸福な境遇にある人たちを見た。ところが、彼らの表情にはある種の影がいつも差しているように見えた。娯楽に耽っているときでさえ、彼らは深刻でほとんど悲しげに見えた」（トクヴィル　3　二〇〇八）。

こうした漠然とした不安感が、アメリカ人を常に何かにかり立てる。

「合衆国では、人は老後を過ごすために入念に家を建て、しかも屋根を葺いているうちにこれを売却してしまう。果樹園をつくり、もう少しで果実を味わえるというときに、貸しに出す。畑を開墾して、収穫を刈り取るのは他人に任せる。専門職に就いてはすぐに辞める。ある土地に落ち着いてもすぐに気が変わって別の場所に新たな生き方を求める。自分の仕事が少しでも暇になると、すぐに政治の渦中に身を投じる。そして仕事に明け暮れた一年の終りになお何日かの余暇が残ると、広大な合衆国の果てをあちこちめぐって飽くことなき好奇心を発揮する。アメリカ人はこうして、幸福に飽きた気晴らしに数日で五〇〇里の旅程もこなすだろう」（トクヴィル　3　二〇〇八）。

平等がなぜ不安とせわしなさをもたらすのか。トクヴィルはさらに考える。

「生まれと財産の諸特権が破壊され、あらゆる職業が万人に開かれ、そしてそれぞれの職業の頂点に誰もが自力で到達することが可能なときには、人間の野心の前に広々として平坦な出世の道が開かれたように見え［る］。（中略）だがこれは誤った見通しであって、日々の経験によって改められる。平等は市民それぞれに将来への大きな期待をいだかせるが、その同じ平等がすべての市民を個人では無力にする」（トクヴィル　3　二〇〇八）。

無力かつ平等であるがゆえに、彼らは「万人と競合することになる。（中略）人々がほとんど相似たものになって同じ道を通るとき、足を早めて、周りにひしめく画一的な群衆から一人抜きんでることは誰にとっても難しい。（中略）平等から生まれる本能とそれが提供する充足手段とはこうして常に矛盾し、それが人の心を苦しませ、疲れさせる」（トクヴィル　3　二〇〇八）とトクヴィルは言う。

自由と平等の関係

ところでそもそも、自由と平等は両立するのだろうか。トクヴィルは、本来この二つが切り離せないものであることを認める。しかし常に共存できるわけではない、「完全な自由なくして人々が絶対的に平等になることはあり得ず、したがって、平等はその極限において自由と一体化するとはいえ、両者を区別する十分な根拠がある」と指摘する（トクヴィル　3　二〇〇八）。なぜなら「平等の便宜は今すぐにも感じられ、「人々は普通、どんな時代にも自由より平等を好む」。

源泉から流れ出るのが日々見える」ので、「これを味わうには、ただ生きていればいい」。ところが「なんらかの犠牲を払って手に入れるのでなければ、人々が政治的自由を享受することはあるまい。（中略）これを獲得するには多くの努力を払わねばならない」（トクヴィル　3　二〇〇八）。

また自由も平等も人々に害をもたらす危険を有しているのだが、「政治的自由の行き過ぎは静穏を乱し、家産を危うくし、諸個人の生活を乱」すがゆえに、「自由がもたらす害悪は時として切迫したものである」のに対し、「注意深く洞察力のある人間でなければ、平等がわれわれに与える脅威には気がつか」ない。しかも、「そうした人たちはこれを指摘することを通常避ける。恐れている災危はまだ遠いと（中略）安心してしまう（中略）。極端な平等から生じ得る害悪は少しずつしか現れない」からである（トクヴィル　3　二〇〇八）。

「私は民主的な国民は自由を生来好むと考えている」とトクヴィルは言う。「彼らは自由を求め、自由を愛し、これから隔てられると苦痛なしにいられない」。しかし同時に「彼らは平等を求める熱烈で飽くことなき情熱、永続的で克服しがたい情熱を有する。自由のなかに平等を求め、それが得られないと、隷属のなかにもそれを求める。貧困も隷従も野蛮も耐えるであろうが、貴族制には我慢できない」（トクヴィル　3　二〇〇八）。

平等は隷属につながりうる。トクヴィルはヒトラーのファシズム政権やスターリンの共産主義政権のもとで起こったことを、一〇〇年も前にこう予言して的中させた。アメリカでも戦争や危機のときに相当強権的な政権が生まれ人々の自由が制限されたことがある。しかし自由が根本から奪われこの国が全体主義の体制に支配されたことはない。ヨーロッパとアメリカでは自由と平等に関する感覚が少し違うように思われる。

二〇一二年にロバート・サミュエルソンという著名なアメリカのコラムニストが、トクヴィルは人が自由より平等を好み隷属状態に置かれても平等を維持したいと述べているけれども、アメリカ人は少し違うと書いている。

サミュエルソンによればピュー・リサーチ・センターという世論調査会社がその年に興味深い調査を行った。政府からの干渉なしに自分の生活を追求する自由と、だれも生活に困らないという国家の保障と、どちらがいいかという二者択一の質問への回答を求めたところ、アメリカ人は五八パーセントが自由を、三五パーセントが国家の保障を選んだ。同じ質問に対しドイツ人は、三六パーセントが自由、六二パーセントが国家の保障と答えた。この結果がヨーロッパ全体にあてはまるかどうかは別にして、少なくともアメリカ人とドイツ人の差はかくも根本的に隔たっているとサミュエルソンは指摘した[2]。それから一〇年近く経って同じ調査を行ったらば、どのような結果が出るだろうか。

人種問題の将来

トクヴィルはアメリカ社会全体に行き渡る自由と平等に着目したけれども、彼がアメリカを訪れた一八三〇年代、大多数の黒人が南部で依然として奴隷の境涯に身を置かれ、少数の自由な黒人も南北を問わず厳然とした差別を受けていた。またインディアン諸部族は先祖伝来の土地を白人に奪われ、西へ追い立てられた。トクヴィルは旅の途中で出会ったこれらの人々と身近に接し、同情を禁じえないでいる。そして二人種とアメリカの将来について自著で論じた。アメリカ社会への参加資格をどこまでどうやって広げるのか、その結果将来何が起こるのかを考察した。

黒人に対する白人の態度はときに冷酷そのものであった。テネシーで出会った光景をトクヴィルは父親に手紙で報告している。

「一週間ほど前、テネシー川を渡ったときです。渡し船は、一頭の馬と二人の奴隷が動かす外輪船でした。（中略）川にたくさん氷が浮いていたので、船頭は馬車を積みこむのをためらったのです。すると一緒にいた旅人が言いました。『心配ない。もし何かあったら馬と奴隷の代金は払うから』。そこで船頭は馬車を載せることに同意しました。黒人の命がどんな風に考えられているか、わかっていただけるでしょう」（Pierson 1996）。

奴隷制度を禁じる北部の州でも黒人は軽蔑され対等に扱われていなかった。白人の子弟が学ぶ学校から排除される。病院で別の病室に入れられる。教会も別である。黒人が死ぬと白人とは別の墓地に埋葬される。トクヴィルには黒人に対する偏見が、むしろ奴隷制を廃した北部の州の方が強いように思われた。

「奴隷制度を一度も経験したことのない州ほど非寛容な偏見がまかり通っているところはない」（トクヴィル　2　二〇〇五）。

そうであれば、将来奴隷の身分から解放されて自由になった黒人と白人はうまくやっていけるのだろうか。黒人の境遇に同情を示しながらも彼らの解放が問題の解決になるだろうかと、トクヴィルは将来の人種問題についてかなり悲観的な見方をしていた。

アメリカでは、インディアン諸部族も白人に抑圧されていた。「白人が新世界にやってくる前、北アメリカに住んでいた人々は森のなかで静かな暮らしを送っていた」。しかし、「ヨーロッパ人はインディアン諸部族を原野に遠く蹴散（けち）らし、言いようのない悲惨に満ちた彷徨（さまよ）える放浪生活に彼らを追いやった」と、トクヴィルは記している（トクヴィル　2　二〇〇五）。

テネシー州メンフィスでは大人数のチョクトー族の一団が森のなかから現れ、ミシシッピ川を渡るのを目撃している。アラバマやジョージアの故地を離れミシシッピ川の右岸へ移住することを、この部族は連邦政府と最近同意したばかりであった。その結果七〇〇〇人を越える人々が長い道のりを歩いてついにミシシッピ川の左岸へたどり着き、ニューオーリンズから川をさかのぼってきた蒸気船に便乗して川を渡る、その場にたまたま居合わせた。ちょうど一八三一年のクリスマス当日であった。

チョクトー族の人々は誰もが沈痛な表情をしていた。船に馬を載せ、男たちが乗りこみ、女たちが赤ん坊を背負い家財道具をかついで続く。最後に年寄りが乗船する。

「そのなかに百十歳の老婆がいました。これほど痛々しい姿を見たことがありません。ほとんど裸体で、唯一体にかけたぼろ布の隙間から、がりがりに痩せた体がのぞいています」（Pierson 1996）。

トクヴィルは母親への手紙に記した。

「この光景には、破滅と破壊の気が満ちていました。（中略）心を痛めずに彼らを見ることはできません。インディアンたちは冷静でしたが、陰鬱で押し黙ったままなのです。一行のなかに一人英語を話す男がいたので、なぜチョクトー族は故郷を離れるのか尋ねてみました。男は一言、『自由になるためだ』と答え、その他には何も言おうとしなかったのです」（Pierson 1996）。

この日から五年後、自分たちの土地を奪うジョージア州を相手取って訴訟を提起し米国最高裁に上告して勝利を収めたチェロキー族も、白人の圧力に耐えきれず、ついに現在のオクラホマ州への移住を連邦政府と合意する。一万七〇〇〇人が追い立てられるように、陸路あるいは水路で八〇〇〇マイル先の居留地に向かった。途中で四〇〇〇人の人が命を落としたという。

トクヴィルがアメリカを旅してから三〇年後、アメリカ合衆国はついに分裂して南北戦争が始まる。戦争勃発にはさまざまな原因があったが、最大の理由は奴隷制度存続の是非であった。四年後戦争は北部の勝利に終わり、戦後制定された憲法修正第一三条によってすべての奴隷が解放される。

しかしそれから約一〇〇年のあいだ、アメリカにおける黒人の地位はほとんど向上しなかった。南部諸州では黒人の待遇がかえって悪化し、白人と黒人の対立が激化したところさえあった。北部に移住した黒人たちも激しい差別にさらされた。二〇世紀半ば公民権運動などの人種差別撤廃の動きが高まり、訴訟や立法、連邦政府の行政命令などを通じてようやく成果が見られるようになる。

インディアン諸部族も同様である。彼らの一部は西へ進む白人に武力で抵抗を続けたが、一九世紀末までに完全に鎮圧された。そして荒涼とした僻地の居留地で名ばかりの部族独立を維持するか、アメリカ社会に同化して伝統を失うかの選択を、しばしば迫られた。

今日アメリカにおける人種間の関係は見違えるような進歩を遂げている。黒人大統領の実現をトクヴィルをふくむだれが一八〇年前に予想しただろうか。しかし同時にトランプ大統領の支持者の一部に見られるように、深い人種的偏見や差別がまだまだ存在する。

トクヴィルが分析したアメリカにおける自由と平等のあり方、人種間の対立と緊張は、決して過去のことではない。アメリカ社会はこれらの問題への対応に多大な努力を重ね成果を挙げてきたが、ある意味で問題はむしろ複雑化し難しくなっている。自由とは何か、平等とは何かは、今日でも依然としてアメリカの課題である。

註

（1）　アメリカへ渡ったトクヴィルとその友人ボーモンは、旅行中恐るべき几帳面さで遭遇したデモクラシーの実態を日記や書簡に毎日記した。『アメリカのデモクラシー』、特にその第一巻は、こうした日記や書簡を基にしてトクヴィルがフランスへ戻ってから著したものである。これらの記録の大部分は今でもノルマンディー地方の町トクヴィルにあるトクヴィル家のシャトーと、イェール大学のバーナンキ図書館に保存されている。イェール大学で教えていた歴史家のジョージ・ピアソンは二人の日記や書簡を克明に分析し、アメリカにおける彼らの足跡と思想の発展を追った『アメリカにおけるトクヴィルとボーモン』を一九三八年に出版した。この本は長く絶版になっていたが、一九九六年に『アメリカにおけるトクヴィル』と改題のうえで復刻された。本書に記したトクヴィルのことばの出典は、『アメリカのデモクラシー』以外ほぼすべて、ピアソンのこの本からの引用である。

（2）Robert J. Samuelson, "Is the U.S. a land of liberty or equality?", https://www.washingtonpost.com/opinions/is-the-us-a-land-of-liberty-or-equality/2012/07/03/gJQAnXIeLW_story.html

第8章　憲法のアメリカ

We the People of the United States,
in Order to form a more perfect Union, . . .
do ordain and establish this Constitution for the United States of America.

Preamble, *The Constitution of the United States.*

1　多様性と統一性

憲法の視点

これまで見てきたアメリカ社会のさまざまな側面は、憲法の視点から考えることも可能であり有益でもある。建国の父祖たちはアメリカ合衆国という新しい国のかたちを憲法という文書で定めるにあたり、植民地時代から存在した多様性と統一性、公と私、自由と平等といったアメリカの特徴を条文に盛りこんだ。そうした条文とその解釈は、その後の合衆国にとって何を意味し、どのような影響をもたらしたのだろうか。

憲法制定をめぐる論争

多様性の肯定的なとらえ方、多様な社会でも統一は維持できるという考え方は、植民地時代から存在した。それは憲法によって受け継がれ、アメリカの国のかたちの根幹をなす思想の一部となった。

そもそも一三の旧植民地代表が独立を宣言してから約一〇年経って改めて集まり憲法を起草したのは、旧植民地（ステート）がバラバラなままであり共通の安全保障政策や通商政策が欠如していて、このままではヨーロッパ列強の脅威や競争に対抗できないという強い危機感を一部の指導者が抱いたためである。憲法制定推進派は独立後に発足した単なるステートの連合ではなく、独自の権限をもつ統一政府とそのもとで結成される連邦国家の創設が必要であると強く信じ、憲法制定会議を招集した。

しかし憲法制定への反対は思いの他強かった。反対派は新憲法のもとで設立される中央政府による人々への圧政を恐れた。また各ステートの独自性が弱まり一三ステートの多様性が薄まることを懸念した。そこで制定反対の議論をニューヨークの新聞紙上で展開し各ステートで開催された批准会議で論陣を張って、制定に必要な九ステートによる批准を阻止しようと活発に運動する。

これに対し、制憲会議で憲法草案の採択に努力したアレクサンダー・ハミルトンとジェームズ・マディソン、そしてハミルトンの友人ジョン・ジェイは、制定反対派の勢力が特に強かった同じニューヨークの新聞紙上で憲法制定の必要性を説く論説を交代で執筆、反論する。全部で八五篇からなるこれらの論説を集めて出版した『ザ・フェデラリスト』は、アメリカ憲法と民主主義に関する古典として今も読み継がれている。

大きな共和国

『ザ・フェデラリスト』の第一〇篇で、制定推進派のリーダーの一人であり米国憲法の父と呼ばれるマディソンは、合衆国創設の利点を「大きな共和国」の考え方で説明した。

憲法制定反対派は、合衆国は共和政に基づく統治を実現するには大きすぎる、中央政府は構成員である各ステート（連邦発足以降は日本語で州と呼んでいる）の人々の情況を知らぬままに彼らの利益に反する政治を行うから結局圧政をもたらし人々の自由が失われる。そう論じた。しかしマディソンは、中央政府の圧政よりも恐れるべきは多数派による少数派の圧迫であると主張する。これをマディソンは「派閥（faction）の弊害」と呼んだ。

マディソンによれば派閥とは、「一定数の市民が、他の市民の権利に反する、あるいは共同社会の永続的・全般的利益に反するような感情または利益といった、ある共通の動機により結合し行動する場合、その市民たちをさすもの」である。派閥が全成員の過半数に達しないのであれば、それほど心配する必要はない。しかし「人民による政治の下で多数者が一つの派閥を構成する」場合、「派閥が、公共の善と他の市民の権利のいずれをも、自己の支配的な感情や利益の犠牲とすることが可能になる」。

これは多数による圧政（tyranny of the majority）に他ならない。

彼はこの派閥の弊害が、大きな共和国より小さな共和国で生まれやすいと指摘する。小さな共和国では共同体の構成員がお互いをよく知っているため、「共通の感情あるいは利益が、ほとんどの場合に全員の過半数のものの共鳴するところとな」りやすい。「弱小の党派や気に入らない個人は、これを切り捨ててしまうという誘惑を抑えるようなものが何もない」。

しかし人々がそれぞれ異なる利益をもつ以上、派閥の発生は不可避である。そうであれば派閥をなくすのではなく派閥の効果を抑制するしかない。その方策は二つある、とマディソンは言う。まず「同一の感情あるいは利益が、多数派のうちに同一時に存在することを防がねばならない」。第二に、「多数派がかかる同一の感情あるいは利益をすでにもっている場合には、彼らが（中略）圧制の陰謀を一致して実行することができないようにしなければならない」。これを実現するには共和国の規模を大きくするのが望ましい。

大きな共和国では、多数の市民と広大な領域をその範囲内にふくみうるから、党派的結合の危険性を少なくできる。「領域を拡大し、党派や利益群をさらに多様化させれば、全体中の多数者が、他の市民の権利を侵害しようとする共通の動機をもつ可能性を少なくすることになろう」（ハミルトン・ジェイ・マディソン 一九九九）。仮にそのような共通の動機が存在するとしても、それを共有する人々すべてが団結して行動するのは難しい。したがって、大きな共和国のほうが小さな共和国よりも、多数による圧政を防ぎやすい。これこそ広大な領域をもち人口の多い連邦が、狭い領域と少ない人口しかない州に対してもつ優位性に他ならない。新憲法のもとで成立する合衆国政府は、それぞれの州政府よりも人々の権利をよく守る。マディソンはこう述べた。

マディソンは、アメリカ合衆国という新しい国のかたちの優位性を、多様性の観点から論じた。国民の多様性こそがこの国の活力の源泉であり人々の自由を保障する基盤であることを、今から二世紀以上前に力強く宣言したのである。

2 公と私、官と民

公と私の境

さらにアメリカ建国の父祖たちは、みんなの世界と個の世界すなわち「公」と「私」の問題が、新しい国のかたちにとって重要であると認識していた。公と私の境をどこに置くか、より正確には公と私それぞれの領域で「官」と「民」がどのように役割を分担するかは、憲法制定の際に議論された主要な問題の一つである。

そもそも植民地時代以来、州における公の問題は基本的に人々つまり民が担い、必要最小限の範囲で州や郡の官が担当するのが習わしであった。憲法制定に反対する人々は、いったん設立された中央政府は次第に拡大し公の領域から民を追い出して私の領域で人々の自由を奪うだろうと、官の肥大による民の圧迫が起きる危険性を説いた。

憲法制定推進派も、民が公のことがらを担う伝統の保持には異存がなかった。しかし彼らは一三のステート共通の問題、例えば安全保障や外交、通商や経済にかかわるより大きな公の問題へ効果的に対応するには実行力と専門性のある強力な官が別途必要だと考え、憲法制定による合衆国政府の設立を主張した。

もちろん、二つの主張の一方が正しく他方が間違っているわけではない。公のことがらを官ばかりが処理すれば、政府による圧制や恣意的な行政につながりかねない。しかし官が弱すぎて公のことがらを民だけに任せると、専門性に欠けるだけでなく私の利益が優先し公の利益がそこなわれる危険がある。

結局、両者の主張を踏まえて憲法の起草者たちは公の領域において官が強くなりすぎないように、しかし必要にして十分な力を行使できるように、いろいろな工夫を凝らして条文に盛りこんだ。また官が私の領域をみだりに侵害せぬよう、さらには民が自分たちの利益を優先して公の問題をないがしろにしないように、さまざまな安全弁を設けた。

ちなみに日本では公すなわち官、私すなわち民と同一視する傾向があり、公と私、官と民、それぞれ明確に区別されないことが多い。ここでは、公はみんなの世界、私は個人の世界であって、ひとり一人の人間が身を置く場の分類であるとしよう。それに対して、官は公の仕事をもっぱら担う専門集団すなわち政府官僚、民は主として私の領域で職業をもち仕事をするが公の仕事も自主的にまた必要に応じて行う個人や組織であり、公と私両方の領域で活動する主体の分類である。そう整理すればわ

かりやすいだろう。(1)

強すぎる官の抑制

公の領域において官が強くなりすぎないように憲法が定めた第一の仕組みは、連邦政府の権限列挙である。憲法が与えるすべての立法権は連邦議会に属すると第一条の冒頭に明記されている。一見、議会の立法権には制限がないように見えるが、正確には戦争、外交、通商、徴税など、憲法に明記されたものに限るという意味である。

この点を念押しするため、憲法修正第一〇条で「憲法の条文上連邦政府に委任されておらず州が禁止されていない権限は、すべて州と人々が留保する」と規定する。すなわち合衆国は国民から中央へ分権された権限のみを行使する「中央分権」の国なのである。日本のように中央政府の権限の一部を県や市町村などの地方自治体に移譲して地方自治を行わせる、「地方分権」の仕組みとは逆である。もちろん合衆国政府という官の役割は、過去二〇〇年のあいだに拡大の一途を辿った。それでも今日に至るまで中央政府の権限はあくまで限定されているというのが、憲法の基本的な考え方である。

第二は権力の分割である。政府の権限を一人の人、あるいは一つの部門に集中させるのは危険である。それを防ぐにはいくつかの部門に権力を配分し、互いに抑制せしめ均衡させる必要がある。この考え方はフランスの思想家モンテスキューの発明になるものだと言われている。しかしそれを実際に機能するかたちで国の仕組みに取り入れたのは、おそらくアメリカ合衆国憲法が初めてであった。

アメリカの場合、権限は連邦政府内で立法、行政、司法の三権に分配されるだけでなく、連邦と州のあいだでも分けられる。人々は連邦政府が横暴であると思えば州の力に頼れるし、州政府が行き過ぎた権限行使をすれば連邦政府に救いを求めうる。こうして人々の権利は二重に保障される。さらに州政府のレベルでも権限は立法、行政、司法に分割されるから三重に保障されると考えてもよい。『ザ・フェデラリスト』の第五一篇で、マディソンは、官による圧政を官同士戦わせ競わせることによって防止する仕組みを、次のように説明する。

「数種の権力が同一の政府部門に次第に集中することを防ぐ最大の保障は、各部門を運営する者に、他部門よりの侵害に対して抵抗するのに必要な憲法上の手段と、個人的な動機を与えるということにあろう」。

「野望には、野望をもって対抗させなければならない。人間の利害心を、その人の役職に伴う憲法上の権利と結合させなければならない」(ハミルトン・ジェイ・マディソン 一九九九)。

人間はその本性からいって自己の利益を優先する。したがって権力の濫用を押さえるには人間の公徳心や無私の精神などに頼るよりも、むしろ赤裸々な欲望や野心あるいは競争心や対抗心を用いるのがより効果的である。自分の利益を最大限実現したい、あいつだけには負けたくないという、至って個人的な動機とその実現のために必要な憲法上の権限を与えて権力の濫用を防ぐ。第一〇篇の「大きな共和国」の考え方と同様、それぞれの個人の利益追及と対立を通じて全体の利益を実現する第五一篇の「抑制均衡」の理論も、いかにもアメリカ人らしいマディソンの発想である。

第三は主として官が担う公の仕事に民が参画する仕組みである。官の肥大を防ぐ仕組みをあらかじめ作っておいても公の仕事を官に任せきりにしていれば、官は次第に特権化するだろう。また特定の人ばかりに公の仕事を任せていれば、いつしかそうした人たちが固定化する。そのような事態を防ぐためのしかけもアメリカ憲法に設けられている。

その筆頭は選挙による官の選出である。連邦憲法は大統領と連邦議会議員、州の憲法は州知事、州議会議員など、一定の任期のあいだ官の役割を任せる人物を人々が投票で選ぶよう規定している。任期が切れれば再び選挙が行われ、人々が代表の業績を評価し、満足な仕事をしていなければ落選させ官の仕事から外す。これによって官の固定化を防ぐ。政治という公の領域における重要な仕事が私的なビジネスにならないための工夫である。

アメリカでは大統領、知事、議員以外にも市民の投票で選ぶ公職が多い。多くの州で副知事、司法長官、裁判官の一部、郡の保安官、教育委員などが州や地域の住民の投票によって選ばれる。よく考えてみればこの手続きは官を選ぶというより、一定の期間公の仕事を引き受ける民の代表を決めるものである。公の領域でもっとも重要な仕事は民が責任をもつ。連邦政府にも州政府にも公の仕事を職業として専門に担当する官僚がいるが、彼らは選挙で選ばれた民の代表に公の領域で仕える役割に徹する。

ところで重要な公の仕事を民の代表がつとめるといっても、その地位に長く留まればそれが本職すなわち官になってしまう。それによって権力の集中が起こらないように、憲法はいくつかの公職について任期制限（term limit）を定めている。まず大統領は一期四年の任期を最長二回しかつとめられない。もともと憲法にそのような規定はなかったのだが、初代のワシントン大統領が二期八年つとめたあと慰留をことわって自発的に身を引いたので慣例になった。大恐慌、第二次世界大戦の苦境を乗り切ったフランクリン・ローズヴェルト大統領が四期目の初頭に急死して一二年と三カ月つとめたのが唯一の例外である。一九五一年には修正第二二条によって、この慣例が憲法に明文で規定された。

ただし連邦議会議員には任期（より正確には再選可能回数）の制限がなく、再選されれば何十年でも続けてその地位に留まれる。州憲法の改正によって当該州選出連邦議会議員の任期を制限しようとする動きが一時あったが、合衆国タームリミッツ社事件で連邦最高裁が自由に代表を選ぶ国民の権利を侵すものとして違憲判決を下したため実現していない[2]。

私の領域への介入防止

官の横暴は、しばしば私の領域への過剰な介入や干渉というかたちを取る。憲法制定反対派は憲法草案にそうした官の介入を防ぐ仕組みがないことを問題にした。それに対して制定推進派は、そもそも連邦政府には限られた権限しか与えられておらず、しかも権限は三つの部門に配分されているのだから無用な心配だと主張した。しかし結局反対派の主張を入れ、発効したばかりの憲法を改正して一〇の修正条項を新しく設ける。すなわち権利章典と呼ばれる、人々の私的権利を保障する規定である。

このうち政教分離、信教の自由、言論・出版の自由、集会・請願の自由を定める修正第一条、国民に武器保有の権利を与える第二条、所有者の同意がない限り平時における兵士の一般家屋宿営を禁じる第三条、裁判所の令状なしの不当な捜索、押収、勾留を禁じる第四条、法の適正な手続き（デュープロセス・オブ・ロー）によらない生命、自由、財産剝奪を禁じる第五条などは、連邦政府がみだりに人々の私的領域に立ち入るのを禁止する条項である。

なお憲法制定反対派は、連邦政府による不当な干渉や介入を恐れたため、これらの規定はもっぱら連邦政府が対象であった。しかし州政府も連邦政府と同様に私的領域への過剰な干渉をする場合がある。したがって二〇世紀になってから最高裁は判例を通じて、権利章典の規定の多くを州政府にも適用するようになった。

権利章典は官による私的領域への行きすぎた介入を防ぐために特定の分野で公私の線を引いたが、その文言は短く包括的であって具体的な事例での線引きが常に明確なわけではない。したがって官による私的領域介入が権利章典あるいは憲法の他の規定に照らして許されるのかどうか。公的な利用のための官による私有財産の収用、避妊や妊娠中絶、同性愛など個人の私的行為の禁止など、個別の事例を巡って今日まで幾度となく訴訟で争われてきた。

例えば官による私有財産収用の是非をめぐる訴訟は、公的領域の拡大、私的領域の縮小に対する保守派の抵抗という性格を有している。これに対して避妊や妊娠中絶の自由化の是非をめぐる訴訟は、私の領域拡大を求める進歩派の運動という側面がある。彼らは避妊や妊娠中絶は本来私の世界に属する行為であって、それを法律によって禁止し制限するのは公の領域の不当な拡大である、むしろこれらの行為を憲法上の個人の権利として認めるべきだと主張してきた。

言論の自由、信教の自由などと違い、憲法には避妊の自由、妊娠中絶の自由を侵害してはならないという明示の規定はない。しかし最高裁は、権利章典の条文の多くが私的領域において官の介入なしに自由に活動する権利を個人に与えるものであることを指摘し、権利章典から派生する新しい「プライバシーの権利」として保護されるべきである。そう説明して新しい自由の権利として認めた。[3]

進歩派はこうした判例を根拠に、その後さらに私的な領域における自由の範囲を拡げようとしている。延命措置の拒否（いわゆる死ぬ権利）、自殺幇助、安楽死、薬物の吸引、同性愛、同性婚なども「プライバシーの権利」として憲法で保護するよう、訴訟や立法を通じて働きかけてきた。すでに死ぬ権利、同性愛、同性婚などが憲法上の権利として限定的あるいは全面的に認められている。[4]彼らは、新しい価値観に基づいて私の権利を守りさらに拡大するために必要に応じて憲法を拡大解釈し積極的に介入することこそ、司法の果たすべき役割だと考える。

こうした動きに対しては、宗教的価値観、道徳観、そして最高裁による憲法解釈権限の正統性の観点から強い保守派の抵抗がある。保守派、特に保守的な司法観をもつ判事たちは、人々の投票で選ばれない裁判官がこうした分野に口を出し憲法の拡大解釈によって新しい権利を生み出すのは立法過程への不当な介入であり、司法という官の横暴だと主張する。同じ私の権利の保護といっても、両者のあいだには司法という官の役割についての根本的な理解の相違がある。

強すぎる民の抑制

ところでマディソンなど憲法の制定者たちは、人々の自由にとって官の肥大、官の横暴だけが危険なのではないことをよく理解していた。同時に恐れるべきは民の肥大や横暴であると考えたのである。そこで民が強くなりすぎて私的利益の実現にばかり走らないようにする仕組みを設けた。

すでに紹介したとおり、マディソンは派閥の弊害、多数による圧政に対抗するためには「大きな共和国」の創設によって多様性を維持・強化するのが最も有効であるという考え方を、連邦制というかたちで憲法に導入した。見方を変えれば、派閥の弊害、多数による圧政は公の領域における民の横暴ともとらえられ、大きな共和国は強すぎる民の抑制にも有効な仕組みの一つである。

ただし大きな共和国だけでは民の横暴は防ぎきれない。アメリカ史を振り返ると、強すぎる民が公の領域で大きな弊害をもたらした時期があった。例えば南北戦争後、平和になったアメリカでは工業化、産業化が進み、鉄鋼、石油化学、鉄道、通信、そして金融などの分野で巨大な私企業が富を蓄積し大きな影響力を振るうようになる。こうした企業が経営する工場で働く人々の労働衛生環境はときに劣悪であった。しかし官は非力であり、適者生存の思想や憲法の解釈から導き出された契約の自由、財産権の神聖などを口実に一般労働者の福利向上はなかなか実現しなかった。この時期に連邦最高裁判所は、最低賃金や最長労働時間を定め労働者の保護を目指す進歩的な法律をしばしば違憲と判断している。

独占禁止法のより厳格な運用、最低賃金や最長労働時間の設定と規制、児童労働の制限、婦人労働者の保護、職場の安全や衛生に関する基準設定などが二〇世紀に入って本格的に実施されはじめ、最高裁の歴史的判決を経て定着するのは、一九三〇年代、大恐慌を機にニューディール政策を遂行した民主党のフランクリン・ローズヴェルト大統領の時代になってからである。さらに第二次世界大戦後なかなか解消されない黒人差別、特に私人による公の場における差別を解消するために、訴訟、立法、行政命令を通じた官による民の横暴の規制が積極的に行われるようになった。

公の領域における民の横暴に対する官の規制は官が果たすべき役割の一つである。ただし官の規制が行きすぎれば、それは私の領域に対する官の過剰な介入、官の横暴となる。官がどこまで民の活動を憲法上規制できるか、規制すべきかは難しい問題である。

例えば公立学校でより多くの黒人と白人の児童を共に学ばせるために、強制的にスクールバスに乗せて遠くの学校に通わせる「バシング」の是非。黒人、女性、その他の少数派の人々の大学進学数、官庁や企業への就業者や昇進者の数を増やすために、一定の枠を設けるなどして彼らを優遇するいわゆる「アファーマティブ・アクション」の是非。これらの問題は何度も訴訟で争われ多くの最高裁判決が下されているが、いまだに論争が絶えない。

このような背景のもと、戦後の民主党政権下で実行された大きな政府による福祉政策の結果、官があまりにも肥大化し私の領域に対して過剰に介入するようになったという反省と反発が生じはじめる。特に一九八一年に発足したレーガン政権は、規制緩和、減税、連邦政府権限の縮小や移管その他による小さな政府への回帰をめざした。官の規模を縮小し役割を減らすことによって私の領域を民に取り戻そうという考え方である。

しかし一方で、クリントン、オバマなどの民主党政権が誕生するたびにベクトルの向きが修正され、民の横暴に対する官の規制強化が復活する。国民皆健康保険をめざすオバマケアの合憲性をめぐる論争で見られたように、私の領域へ官がどこまで介入すべきか、公の領域での民の横暴をどこまで官が矯正すべきかの問題をめぐる論争と訴訟は、今日なお活発に続いている。[5] もしかすると両者の緊張関係そのものが、官の横暴と民の横暴の両方を限度あるものに留めているのかもしれない。

3　自由と平等

ゲティスバーグ演説

自由と平等はアメリカ合衆国の建国理念であり、また同時に永遠の課題でもある。独立宣言はその冒頭で、すべての人は生まれながらにして平等であり、生命、自由、幸福の追求などを不可侵の権利として与えられていると謳った。

南北戦争でとりわけ激しい戦闘が繰り広げられたゲティスバーグで、一八六三年の初冬リンカーン大統領が演説を行い、その冒頭でこう述べた。

「八七年の昔、我々の父祖はこの大陸に、自由を基調とし、すべての人は生まれながらに平等であるという考えに基づく、新しい国家を実現した」。

建国の理念をこれほど平易なことばで明快に述べたものは、他にない。リンカーンは続けて、「今我らは大きな内戦を戦っている。内戦はこうして生まれた新しい国が、いやそもそも自由と平等を旨とする国家なるものが、いったい長く存続しうるものかどうかを試している」と、自由と平等の実現の難しさを指摘した。だからこそゲティスバーグの戦場で命を落とした兵士たちがやり残した仕事は、我々自身が成し遂げねばならない。

「名誉の戦死を遂げた者たちが、最後の力をふりしぼって果たそうとした大きな使命を、我らは一層の献身をもって果たさんとす。(中略)勇者たちの死を無駄にはしないと、神のもとでこの国は新しい自由の生命を授かると、人々の人々による人々のための政治は、この地球上から消え去ることは決してないと、我らはここに決意する(6)」。

南北間の対立と戦争で大きく傷ついたものの、変わることのないアメリカの理念および目標としてリンカーン大統領は自由と平等を改めて掲げた。

独立宣言の自由と平等

ゲティスバーグ演説は独立宣言の内容に基づいている。リンカーン大統領はまず、「新しい国家」が誕生したのは「今から八七年前」であると述べた。演説を行った一八六三年から八七年さかのぼれば一七七六年になる。つまりリンカーンはアメリカ建国が合衆国政府発足の一七八九年ではなく、独立宣言が発出された一七七六年だと言っている。実際にアメリカ合衆国の公式な誕生日はフィラデルフィアで独立宣言が発出された一七七六年七月四日であり、現在に至るまで毎年この日は独立記念日として祝われている。

ただし一七七六年にアメリカ合衆国が誕生したというのは必ずしも正しくない。確かに独立宣言の冒頭には我が国で合衆国と訳されている the united States ということばがあるが、よく読むと united の最初は小文字、States は大文字で始まっている。独立宣言は一三の独立した States が全員一致で宣言したもの、すなわち The unanimous Declaration of the thirteen united States なのである。the united States は固有名詞ではなく、この時点で The United States という単一の国家はまだ存在していない。しかも独立宣言がなされた時点でアメリカの独立が確実であったわけでもない。独立戦争はまだ始まったばかり。イギリスに敗れて独立が達成できない可能性は十分あった。

それではなぜリンカーン大統領は、ゲティスバーグ演説の冒頭で新しい国の誕生を一七七六年に置いたのだろうか。

一つには、南北戦争の直接の引き金となった南部諸州による連邦離脱が違法だと主張せねばならなかった。南部諸州はアメリカ合衆国憲法をステート間の契約ととらえていた。契約である以上、当事者の一方に重大な違反があれば他方には履行の義務がなくなり契約を解除できる。奴隷制度の是非は各ステートが決めるというのが憲法制定に合意して南部の奴隷州が合衆国に加わる条件の一つであったので、新しい共和党政権が奴隷制度廃止という公約を実現すれば憲法という契約の重大な違反にあたる。その履行義務がなくなり連邦を脱退する権利が発生する。南部諸州はこう主張した。

これに対し、アメリカ合衆国は憲法制定以前にすでに誕生していたとリンカーンは主張した。まだ国のかたちの詳細は明らかではなかったが、United States という新しい国家を打ち建てると独立宣言ではっきりと表明したではないか。したがってアメリカ合衆国は独立と同時に、州間の契約ではなくアメリカの人々全体の合意によって誕生したものである。であれば、統一国家を分裂させる南部諸州の連邦からの脱退はアメリカ国民全体の統一意思に反し違法である。

リンカーンはこの考え方を強調するため、合衆国政府は「人々の、人々による、人々のための」ものである（government of the people, by the people, for the people）と述べてこの演説を締めくくった。民主主義の根本原理を表しただけではない。その成り立ちにおいてアメリカが州の連合である「合州国」ではなく、国民の連合である「合衆国」であることを明らかにした。

もう一つの理由は独立宣言に、「すべての人間は生まれながらにして平等であり」と平等を強調する文言があることである。憲法そのものが平等原則を明確に掲げていないので、奴隷解放、奴隷制度廃止を実現する意志を戦争中に固めたリンカーン大統領は、最初から平等が建国の理念の一つであったことを示すために独立宣言のこの部分を引きたかったのだろう。だからこそ合衆国の誕生を独立宣言発出の時点に置いた。自由と平等をアメリカの理念としてこれほどはっきりと表現した文書は独立宣言以外にないのを、リンカーン大統領はよく理解していた。

憲法の自由と平等

合衆国憲法は独立宣言が一七七六年に発表されてから一一年後に起草され、一二年後の一七八八年に効力を発した。両者ともアメリカ建国の基本文書であるが、上述のように憲法は独立宣言と異なり、自由と平等をアメリカの基本理念として条文に明記していない。

ある意味でこれは当然である。独立宣言は文字どおり一三植民地の人々に向かって高らかに独立の決意を示したものであるから、自ずとその調子は高く強い。これに対して憲法は独立した一三のバラバラなステートをなんとか一つにまとめ統一政府を樹立する文書であるから、主として国の仕組みや手続きについて規定している。特定の価値観や理念を述べる条文はほとんどない。

それでも自由については合衆国憲法に、火急の時を除く人身保護令状発出停止の禁止（第一条九節二項）、私権剥奪法と遡及法の禁止（同条九節三項および一〇節一項）、契約上の債権債務関係を害する州法制定の禁止（同条一〇節一項）など、人々の自由を間接的に確保するための地味ではあるけれども重要な条文がいくつかある。そもそも憲法前文は自由の恵沢確保を制定の目的の一つとして挙げた。さらに既述のとおり、憲法草案に人々の権利を保障する規定がないではないかという反対派の声に応えて、最初の憲法修正一〇条すなわち権利章典に、信教の自由、言論の自由など、個人の自由を保障する明確な規定をいくつか設けた。

対照的に平等に関する規定は、元々のアメリカ合衆国憲法にも一七八九年に起草された権利章典にも明示されていない。一八六八年に修正第一四条で「いかなる州も、その管轄内にある者に対し法の平等な保護を否定してはならない」と定めたのが最初である。アメリカという新しい国家の基本原則を定める憲法に、平等に関する文言が当初なかったのを意外に思う人は多い。なぜだろうか。

一つは平等の原則は憲法に織りこまれていて、独立宣言のようにわざわざ記す必要がないと考えられたこと。もう一つは平等の原則は自由の原則と比べて憲法制定当時はそれほど重視されなかった、あるいは記したくても記せない事情があったこと。この二つの理由がある。

前者についていえばトクヴィルが指摘したとおり、植民地時代から奴隷をのぞいて人々はお互いに平等な関係にあった。憲法はそれを前提に書かれている。アメリカ独立の最大の目標は、君主制を廃し共和制を採用することにあった。国王を否定した以上、憲法を制定したのは「我ら合衆国の人々(We the people of the United States)」であり、彼らのあいだにはなんら階級や区別がない。憲法にたびたび出てくるこの people ということばは、人々がお互いに平等であることを含意している。

憲法には他にも人々のあいだの平等を前提にする、あるいは強調する文言がある。第一条九節八項は、「合衆国は、貴族の称号を授与してはならない」と定めている。特定の人物が一段高い位を占めれば、平等でなくなる。

また連邦議会の議員もしくは大統領に選出されるための資格要件は、年齢、市民権獲得からの年数（大統領の場合は米国生まれの、あるいは憲法制定時にアメリカ市民であること）、選挙区での居住のみで、それさえ満たしていれば誰でも立候補できる。権利章典が保障する権利の多くも people が享受すると書かれており、平等が保障されている。

さらに憲法第四条二節一項は、「各州の市民は、他州において、当該他州の市民が享有するすべての特権および免除を等しく享有する権利を有する」と定める。国際通商法で「内国民待遇」と呼ばれる原則であり、A州の市民が自分の州で家を買い、契約を結び、訴訟を提起できるのであれば、A州を訪れるあるいは居住するB州の市民も原則としてまったく同じことを同じ条件でできる。つまりアメリカ市民は国内どこの州でも、その州の市民と同じ処遇を受けることの保障であって、これまた平等原則に基づいている。

このように憲法は連邦国家を目指す以上、異なる州の市民間の平等を規定してはいるものの、個人間の平等を自由ほどには重視していなかったようだ。

実際、チャールズ・ビアードなどアメリカの憲法学者や政治学者、歴史家の一部は、憲法制定を主導した人たちに土地所有者、金融業者、商工業者など当時の経済的エリートが多く、彼らは自分たちの所有権を守ることを憲法制定によって目指したのだと主張してきた。これらの資産家や債権者は独立した各ステートの議会が、契約の破棄、借金の帳消し、通貨の乱発など、一般民衆の要求に応える法律を制定して自分たちの利益を損ない平等を希求する傾向が出たのを憂慮し、自らの財産を守るために憲法を制定した。そう論じる。

一方イギリスからの独立を達成し国王の軛（くびき）を逃れてようやく得た州の利益と個人の自由が新しく創設される中央政府に奪われ侵害されることを、憲法制定反対派の人々の多くも恐れた。当時は彼らも、平等より自由の確保に主たる関心があったように思われる。

ちなみに独立宣言が「奪うことのできない権利」として挙げたのは生命、自由、および「幸福の追求」であって、修正第五条が用いた「財産」ではない。その理由はよくわからないが、独立宣言が「平等」を重視するゆえに財産権ではなく幸福追求権を選んだとの解釈が可能なため、今日に至るまで平等を重視する人々、現代の文脈で言えば福祉国家を選択する民主党支持者は、どちらかと言えば制定時の憲法よりも独立宣言を好む傾向がある。逆に、財産権、個人の所有権を重視する人々、自由な市場経済を選択する共和党支持者は、制定時の憲法の考え方を好む。

第二次世界大戦後日本国憲法の草案を起草した占領軍総司令部民政局の人たちは、前者に属していた。彼らの多くは民主党のローズヴェルト政権下で働いた進歩的なニューディーラーであり、大恐慌を記憶する彼らは自由放任の資本主義経済を嫌い財産権制限の必要性を信じていた。日本国憲法第一三条が基本的人権として「生命、自由、幸福の追求」を掲げて「財産」を避け、第三一条の適正手続き条項が、「生命、自由」を挙げながら「財産」を省いているのは、偶然ではない。

しかし制定当時の憲法が平等を正面に掲げなかったもっとも大きな理由は、奴隷の存在である。憲法制定会議に参加した各ステート代表の多くは、奴隷が平等という建国の理念に反するものであるのを十分認識していた。ただ奴隷制度の廃止もしくは制限を憲法に盛りこめば、奴隷なしでは経済が成り立たない南部諸州が新しい連邦国家への加盟を拒否するのが火を見るより明らかであった。北部諸州は奴隷制度の廃止や制限よりも統一政府の発足を当面もっとも重要と考えていたから、憲法には奴隷制度に関する明確な規定を設けず、その是非は州法によって各州が規定するという妥協案に同意する。奴隷問題の解決は先送りされた。

こうしてアメリカ合衆国は、独立宣言で自由と平等を建国の理念として共に掲げながらも、実際には奴隷の存在という根源的な不平等を抱える国家として出発する。新しく創設された合衆国の基本法である憲法は、奴隷制度の存在ゆえに平等に関して曖昧なままであった。この矛盾と対立を乗り越えるために、アメリカは一度分裂して大きな内戦を戦わねばならなかった。すべての合衆国市民は平等であるという原則が南北戦争後ようやく憲法の条文に加えられたが、ゲティスバーグ演説でリンカーンが触れた戦いで命を落とした兵士たちが「やり残した仕事」、最後の力をふりしぼって果たそうとした「大きな使命」を、アメリカの人々は今でも達成しようと努力しつづけている。

現代の自由と平等

現代のアメリカでは、平等と差別の問題がより複雑になっている。少数派の人種や民族だけでなく、女性、同性愛者、身体障害者、精神障害者、性同一性障害者、高齢者、選挙の投票者（いわゆる一票の格差の問題）、外国人、違法移民とその子供。彼らもまた差別撤廃による平等の実現を望み、実効性のある法的な保護や優遇を憲法上の権利として認めるように要求してきた。その手段として用いられるのが、修正第一四条の「法の平等保護」条項に基づく憲法訴訟である。彼らは平等実現のために、議会による法律の制定だけではなく司法による積極的な憲法解釈を求める。それを保守派は官による私的領域への行きすぎた介入ととらえる。

同じ現象は平等だけでなく自由についても起きている。既述のとおり、権利章典をふくむ憲法の条文が明示的に保障する自由だけでなく、条文上は規定がない自由を憲法の拡大解釈によって権利として認めるように要求してきた。その手段として用いられるのも、修正第五条と第一四条のデュープロセス条項、特にその「自由」の規定に基づく訴訟である。しかも同性愛者の例にみられるように、平等の権利と自由の権利はしばしば同時に要求される。同性愛や同性婚を行う自由。異性愛・異性婚と同性愛・同性婚の法律上・制度上の平等な扱い。この二つは密接不可分である。

なお合衆国憲法のデュープロセス条項は、「法の適正な手続きなしには、何人も生命、自由、財産を奪われることとなし」と定める。その解釈には長く複雑な歴史があるけれども、一九世紀末までは主として手続き的な権利保障と考えられ解釈されていた。つまり裁判などの適正な手続きなしには官憲によってみだりに拘束されたり死刑にされたり、あるいは財産を没収されることがないという意味である。これを手続き的デュープロセスと呼ぶ。これに対し一九世紀半ばから、どんなに適正な手続きが用いられようとも決して奪われてはならない絶対の自由や財産権もあるという、いわゆる実体的デュープロセスの理論が台頭する。憲法の条文に規定がない新しい自由を権利として認めるのを望む人々は、この理論を要求の根拠として用いた。

二〇世紀後半から現在まで憲法が保障する自由と平等の範囲拡大に関しどのような政治的対立、憲法学上の論争があり、合衆国最高裁がどのような解釈を行ってきたかを詳しく記すのは本書の目的ではない。ただ新しい自由や平等の権利は互いに矛盾することがあり、憲法上の他の権利とぶつかることも多い。その結果、最高裁の判決はより複雑で論議を呼ぶものにならざるをえない。それだけは最後に指摘しておこう。

例えば一九九五年に合衆国最高裁はローゼンバーガー事件で、キリスト教への理解を広めるため学内誌を発行するヴァージニア大学のある公認学生団体に対し、同大学が他の公認団体には支給する出版助成を拒否するのは言論・出版の自由を保障する修正第一条に反し違憲であるとの判決を下した。大学側は出版助成が同じ修正第一条の政教分離原則に反すると主張したが、最高裁判事の多数はこれを退けた。大学が当該学生団体を公認団体として承認した以上、他の非宗教的な公認団体と平等に取り扱わねばならない。宗教的な内容だという理由で当該団体だけに出版助成を支給しないのは、この団体の言論の自由を侵害すると説明した。(7)

このケースでは公認学生団体への助成を公平に行うという平等原則と官による宗教への干渉を排するという自由原則のあいだで、緊張が生じている。ちなみに判決は五対四の僅差で下された。

また選挙資金の支出に上限を設ける連邦法は言論の自由原則に違反し違憲だとする二〇一〇年に下された最高裁の連邦選挙委員会事件判決でも、自由の原則と平等の原則がぶつかり合った。選挙資金の多寡が当落を左右するのは選挙における候補者間の平等を損なう。また当選した候補者は公職についたあと多額の献金を行った者からのさまざまな要望に応える可能性が高く、それは政治の腐敗につながる恐れがある。したがって選挙資金の規制は必要である。最高裁もこの点については異論がない。

しかしこの事件で問題にされたのは、候補者の意思にかかわらず第三者である個人や団体が特定の候補とその政策について選挙期間中にテレビコマーシャルなどで自身のメッセージを自発的に流す行為である。そのための金銭支出は選挙の結果に影響を及すので候補者への直接の選挙資金提供と変わらないと考え、議会は支出の上限や期間について規制する法律を制定した。しかし最高裁は原告による金銭支出は純然たる言論活動であり、その支出額や期間に制限を課すのは言論の自由を妨げる。したがって修正第一条に反し違憲であり無効であるとの判断を示した[8]。ちなみにこの判決も五対四の僅差であった。言論の自由と候補者間の平等とどちらを取るか。この判決には今でも批判が強い。

最高裁の憲法解釈においては上記の例のような自由原則と平等原則のどちらを重視するかに加えて、異なる自由のあいだでどちらを優先するか、異なる平等のあいだでどのように優先順位をつけるかも、しばしば問題になる。国民のほぼすべてを健康保険に加入させるオバマケア発足のあと、キリスト教徒の経営する企業が信教の自由を理由に従業員の妊娠中絶費用を保険で負担するのを拒否する自由はあるのかが問題になった。最高裁はホビーロビー事件判決で企業側に軍配を挙げたが、この事件ではキリスト教徒の信教の自由と女性が妊娠中絶を行う自由が衝突している[9]。

また同性婚の披露宴で用いるウェディングケーキの注文を信仰上の理由で断った菓子屋の主人の行為は、憲法上の権利として認められた同性婚の権利を否定するものであり、同性婚を決意したカップルの差別にあたる。そうであれば性的傾向を理由とする差別を禁じる州法で罰せられるべきかが争われたマスターピース菓子店事件で、最高裁は菓子屋の主人の主張を認めた。ここでは菓子屋の主人の信教の自由と、同性愛者同士が結婚する自由が対立した[10]。

さらにコネティカット州ニューヘイヴンの消防署で行われた昇進試験で黒人署員の合格者がいなかったため、黒人署員の昇進機会を保持するために合格者全員の昇進が見送られたリッチ事件判決で、昇進見送りの必要性についての証拠が十分でなく一九六四年公民権法に違反するとして、最高裁は合格したにもかかわらず、昇進できなかった署員の訴えを認めた[11]。ここでは長年続いた黒人差別の解消という形での平等の確保と、試験結果に基づく平等の確保のあいだの対立が問題になった。

一体自由とは何か、平等とは何か。誰が何を根拠にしてそれを権利として認めるのか。議会か、行政府か、裁判所か。それとも国民自身が出来る限り私的領域の問題として判断すべきなのか。それぞれ非常に複雑で難しい。憲法だけで判断すべき問題ではない。

ただこうした自由と平等をめぐる対立と矛盾を、憲法の問題として法廷や議会で徹底的に議論し争うのには利点もある。一方で極端な自由や平等の権利を主張する者が他の権利を抑えて跋扈するのを、他方で不当かつ悪質な自由の制限や不平等が巧妙に隠蔽されて放置されるのを、共に防いでいるのかもしれない。そうだとしたら、それもまた矛盾をぶつけ合って極論を抑えるすぐれてアメリカ的な対応の仕方である。

註

（1）詳しくは著者の論文「アメリカ合衆国憲法に見る公と私、官と民」（猪木武徳、マルクス・リュッターマン編『近代日本と公と私、官と民』所収）を参照されたい。

（2）*U.S. Term limits, Inc. v. Thornton*, 514 U.S. 779 (1995).

（3）*Griswold v. Connecticut*, 381 U.S. 479 (1965); Roe v. Wade, 410 U.S. 113 (1973).

（4）*Cruzan v. Director, Missouri Department of Health*, 497 U.S. 261 (1990); *Laurence v. Texas*, 539 U.S. 558 (2003); *Obergefell v. Hodges*, 576, U.S. 644 (2015).

（5）*National Federation of Independent Business v. Sebelius*, 567 U.S. 519 (2012).

（6）ゲティスバーグ演説の原文は、http://www.abrahamlincolnonline.org/lincoln/speeches/gettysburg.htm を参照のこと。

（7）*Rosenberger v. Rector and Visitors of the University of Virginia*, 515 U.S. 819 (1995).

（8）*Citizens United v. Federal Election Commission*, 558 U.S. 310 (2010).

（9）*Burwell v. Hobby Lobby Stores, Inc.*, 573 U.S. 682 (2014).

（10）*Masterpiece Cakeshop v. Colorado Civil Rights Commission*, 584 U.S. ___ (2018).

（11）*Ricci v. DeStefano*, 557 U.S. 557 (2009).

第9章　トランプのアメリカ、変わらぬアメリカ

Born down in a dead man town
The first kick I took was when I hit the ground
You end up like a dog that's been beat too much
Till you spend half your life just covering up
I was born in the U.S.A.
Born in the U.S.A.

Bruce Springsteen, *Born in the U.S.A.*

1　まさかの大統領

トランプのアメリカ

アメリカ合衆国とその国民は、さまざまな矛盾する要素あるいは一見対立する思想を包含しながら、一つの国家、統一された国民としてこれまで歴史を重ねてきた。総じて見ればそれは世界で他にほとんど例を見ない成功物語である。

バラバラで分裂しそうなほど多様でありながら、統一を促す強い求心力がある。あくまでも私益を追求する個人が、同時に力を合わせて公益を実現する伝統と仕組みがある。自由と平等という建国の理念を共有しながら、何を優先するか、どうやって実現するかについて激しい対立がある。しかしその対立がかえって一つの方向に暴走するのを防ぐ。過剰な自由や行きすぎた平等を抑制する。

本書では序から第8章まで、著者の具体的な経験、過去にアメリカを訪れた日本人やトクヴィルなどの観察、そして憲法の仕組みを紹介した。アメリカという国家と社会に内在する矛盾と対立が、時に不協和音を生じ時に共鳴しながらどのように機能してきたか。その描写を試みた。

けれども本書の読者は問うかもしれない。トランプ大統領が登場した今日のアメリカは、この本に記されているアメリカではもはやないのではないか。アメリカはどこか深い部分で変わってしまったのではないか。一体何が変わったのか。なぜ変わったのか。それとも実は存外変わっていないのか。

トランプ大統領の登場とその仕事ぶりが何を意味するのかは、アメリカ国内だけでなく日本をふくむ世界中の国々で就任以前から盛んに論じられてきた。この大統領は民主主義や立憲主義などアメリカの根本的な仕組みや価値観を否定もしくは軽視する傾向を多分に有しており、アメリカの将来にとってきわめて危険だという悲観論がある。他方トランプ大統領の登場は行きづまったアメリカに新しい方向性を与え、活力を生み、再びアメリカを偉大にするだろうという楽観論がある。

トランプの時代はアメリカの歴史上あくまでも例外的変則的なものであり、彼が現職を去れば長続きしないという見方もある。いやトランプは今アメリカで起こりつつある大きな変化の象徴であって原因ではない、その大きな変化は今後も続くだろう、もはや元に戻らないという観察がある。

トランプ現象には複雑な背景があり、必ずしも明快に論理的に割り切れるものではない。ただ本書の文脈で考えれば、この大統領は決して何もないところから突然現れたのではなく、よくも悪しくもアメリカの歴史、政治風土、社会、文化のなかから生まれたものであること。アメリカでなければトランプという特異な人物が国家の最高指導者に選ばれ、これだけの騒ぎと論争にはならなかったであろうこと。大統領とその支持者が反対派と激しく対立しながら、内戦にもならず国家全体としてはそれなりに機能しつづけていること。それだけは間違いがなく、その意味でもトランプの出現は、そもそも一体アメリカとは何なのかという問いを改めて投げかけている。

トランプとは何者か？

アメリカの歴史上、こんな大統領はこれまで一人もいなかった。トランプについてよく言われることである。確かにこの大統領は色々な意味で変わっている。

第一にトランプ大統領は、終始一貫して内向きである。共和党の大統領ではあるものの、共和党の主流派に属した過去の大統領とは異なり、自由貿易主義、国際協調主義を取らない。中国、日本、韓国などに対するアメリカの貿易収支赤字を嫌い、追加関税を課す権限を大統領に与える法律を用いて不公正取引や安全保障を根拠に大幅な関税率引き上げを実行する。アメリカの産業と労働者を守るために保護主義の立場を取る点で、労働組合を支持基盤とし一九八八年と二〇〇四年に民主党大統領候補指名を目指したゲップハート下院議員などにむしろ似ている。

同様に不法移民の取り締まり強化、流入阻止、国外への強制追放に二〇一六年選挙戦のさなかから熱心であり、メキシコ国境に壁を建てるという公約によって候補者としての知名度を一気に上げた。大統領就任後もその実行に意欲的である。不法移民は歴代の大統領が抱えてきた問題で、流入を阻止しようとしたのはトランプが初めてではない。しかしこれほど激しく不法移民排除を訴える大統領はいなかった。

大統領就任直後、中東アフリカのイスラム教徒が過半数を占める七カ国の国民のアメリカ入国を一時的に停止したのも記憶に新しい。二〇一八年にはアメリカ国内で生まれた不法移民の子供に市民権を付与しないことを提案して、論争になった。両親の国籍、意図にかかわらず、アメリカ国内で生まれれば自動的に合衆国の市民権が与えられる。これは憲法修正第一四条が規定する憲法上の権利であって行政命令で禁止することはできない。それがトランプの提案に対する大方の憲法学者の見解だが、この人は外から来るモノだけでなくヒトも嫌いなようだ。トランプの提案は結局実現していない。

アメリカ第一主義を唱えるこの大統領は、多国間の枠組みも嫌いだ。気候変動に関するパリ協定、イランとの核合意、TPPからの一方的脱退、メキシコ、カナダとのNAFTA再交渉、NATOやWTOの改革要求、ロシアとの中距離核戦力全廃条約離脱など、これまでの国際システムに次々と挑戦してきた。西ヨーロッパ同盟諸国との関係がこれほど悪化するとは、トランプ以前には想像すらできなかった。

第二にこの大統領はアメリカ第一主義を唱えるものの、アメリカの歴史、アメリカの理想については滅多に語らない。カーター大統領以後最も短いその就任演説では、偉大なアメリカ、アメリカ第一というスローガンを連発したけれど、なぜそうなのかについての具体的な説明はほとんどなかった。先人の演説や文章の引用もなく、ただ一カ所、「見よ、同胞相睦みて共に神の都にをるは、いかに善く、いかに楽しきかな」という聖書からの引用があるだけである。(1)

「黒人であろうと、アジア系、白人であろうと、我々は同じ愛国者の赤い血を流し、同じ栄光の自由を享受し、同じ偉大なアメリカ国旗に敬礼する。子供がデトロイトの貧困地帯で生まれようと、ネブラスカの広大な平原で生まれようと、空に輝く同じ星を見上げ、同じ夢を心に抱き、そもそも同じ全能の神によって命を与えられている」[2]。

という、恐らくはスピーチライターが知恵を絞って起草した箇所が、唯一理想的な響きをもっているけれども、そうであれば積極的に何をすべきかについては「我々はアメリカを再び偉大にする」という最後のことばしかない。むしろ国内で、また世界中で、ごく普通のアメリカ人が利用され搾取され苦しんでいるという不平不満ばかりが目立つ。

「ワシントンは栄えたけれど、人々はその繁栄から取り残された。政治は栄えたけれども、仕事は失われ工場は閉鎖された。特権階級は自分たちを守ったけれども、アメリカ国民は守られなかった」[3]。

などのことばが延々と続く。その後のスピーチも自身の政策への自画自賛か自分に反対する勢力への激しい攻撃か、そのどちらかであることが多い。

アメリカの歴史を通じて、歴代の大統領は国民に対してその政策を示すと同時に自身の抱くアメリカの理念、理想を語ってきた。古くは建国期のジョージ・ワシントン、トマス・ジェファソン、南北戦争の際のアブラハム・リンカーン、さらには第一次世界大戦参戦の際のウッドロー・ウィルソン、大恐慌と第二次世界大戦を通じてアメリカを率いたフランクリン・ローズヴェルト、冷戦期のジョン・F・ケネディなどが、国家の危機に直面した際に国民へ語りかけアメリカの理想を謳い上げた。最近では二〇〇一年の9・11同時多発テロ事件を受けて国連安保理の決議を得ないままイラクとの戦争を開始してそのユニラテラリズム（単独主義）を批判されたジョージ・W・ブッシュ四三代大統領と、そのブッシュの政策に反対し対立よりも協調を人種対立よりも一つのアメリカをと語って当選した第四四代のオバマ大統領の両方が、演説のなかで自らが信じるアメリカの理想を語った。トランプ大統領にはそれがない。歴史についても理念についても語らない。トランプという人は歴史や思想に興味と関心がないのだろうか。

トランプには一種反知性的な側面がある。それでありながら政敵をやっつけ支持者を惹きつける稀有な才能を有する。もしかすると高邁な思想を語らずに労働者の窮状だけを述べる彼だからこそ、エリートを嫌う一部のアメリカ国民から熱狂的な支持を得るのかもしれない。

トランプが理想を語らないのは、現代のアメリカ人がそれを求めなくなりつつある状況を反映している可能性もある。そう言えばオバマは選挙運動中リンカーンのことばを度々引用し、就任演説では大陸軍総司令官のワシントン将軍が独立を目指す英軍との苦しい戦いのさ中に全軍に発した力強い檄を引いたのに、八年の任期中次第に普遍的理想を語らなくなった。公約として掲げていた一つのアメリカが実現せず、アメリカ社会の分極化が改善しないのにともなって、この大統領の発言はより党派的、攻撃的になった。もしそうした傾向が現在のアメリカに存在するとすれば、それは「マサチューセッツ植民地のピューリタンたち［が］、『丘の上の町』を築いてみずから課した使命を果たそう」と決意し、「独立革命の指導者たち［が］、独立宣言において建国の理念を表明して評価の尺度をみずから示し」て、「アメリカは理念の共和国として出発した」（本間 一九七六）という認識の衰退であるとも理解しうるだろう。

第三に、この人独特の攻撃的な人柄とスタイルがある。自分を批判する人間、自分を怒らせた人物は、ツイッター、記者会見、単独インタビューで徹底的に攻撃する。人格攻撃をためらわない。部下が気に入らなければ首にする。マスコミ攻撃は朝飯前。不正確、あるいはまったく根拠のない発言を繰り返す。自分が不愉快な時は、それを露骨に表情に出す。表現は大げさで語彙が少ない。そんなトランプは人格的、道徳的に国民の尊敬の対象となりにくい。支持者の多くもそれを認めているが、それでもこの人を選んだ。

こうした特徴をもつ内向きで否定的で攻撃的なトランプ大統領だが、必ずしもアメリカ史上例外ではない。人柄や行動スタイル、あるいは倫理観に問題が多い大統領は過去にもいた。議員や裁判官、州知事なら山ほどいた。

もともと軍人として手柄を上げテネシー州に本拠を置いたアンドリュー・ジャクソンは、当時の合衆国の辺境、アパラチア山系を越えた西部の州から初めて選ばれた大統領（一八二九～一八三七年）であった。東部エリートに挑戦して大統領に当選し、より平等な社会の実現を求める大衆の意思を反映する新しい民主主義の時代をもたらしたものの、攻撃的な性格であり大のインディアン嫌いで知られた。ちなみにトランプ大統領はジャクソン大統領の肖像画をホワイトハウスの執務室に飾っている。

またリンカーン大統領暗殺を受けて副大統領から大統領へ昇格したアンドリュー・ジョンソン（一八六五〜一八六九年）は、黒人が嫌いで南部改革に消極的であったために議会の共和党多数と対立を深めて弾劾裁判にかけられ、一票差でかろうじて無罪になった。一世紀後、リチャード・ニクソン大統領（一九六八〜一九七三年）は、ウォーターゲート事件の際に部下による数々の違法活動が明らかになり大統領自身の関与が明らかになるに及んで、弾劾手続きの開始を待たず辞任した。ビル・クリントン大統領（一九九二〜二〇〇〇年）は稀代の雄弁家であり人気が高かったものの、その度を過ぎた女性関係、特にホワイトハウスで執務中の不倫行為が間接的な原因となって弾劾裁判にかけられた。

アメリカ全体が保護主義、孤立主義に走り、反移民、反外国人の気運が著しく高まった時期も何度かあった。南北戦争に至る北部と南部の対立の一つの原因は関税率に関するものであり、リンカーン大統領が北部工業保護のために保護主義を唱え高関税を望んだのに対し、南部は農産品の輸出に有利な低関税を主張し自由貿易を支持した。また南北戦争前にはアイルランドやドイツから渡ってきたカトリック教徒の移民を排斥するノウナッシング党という勢力が一時期力を持つ。一方でアイルランド系などの貧しい白人労働者は戦争中リンカーン大統領の徴兵制施行に反発してマンハッタンで暴動を起こし、その勢いで自分たちの職を奪うのではと恐れる多くの黒人に暴行を加え虐殺した。

第一次世界大戦後はロシア共産革命の影響を恐れる反社会主義反移民の運動が激化し、第二次世界大戦後には冷戦を背景としてマッカーシズムの赤狩りが猛威をふるった。排他的なアメリカ、荒々しいアメリカ、ポピュリズムのアメリカ、それを煽る政治家は新しいものではない。

そもそもトランプ大統領に注目が集まるのは彼が変人であるからだけではなく、この人を支持して大統領に選出した多くのアメリカ人がいて彼らの声をトランプが代弁するからである。民主党の対抗馬クリントン候補は、二〇一六年の大統領選挙運動中トランプ支持者の半分は「嘆かわしい人たち」だと侮蔑的な発言をして、それが敗戦の大きな要因になったと言われる。トランプ支持者の言い分が好きか嫌いかは別として、我々はアメリカの歴史や伝統、社会の仕組み、憲法の観点から、この大統領と彼を支持する今日のアメリカの大衆をどうとらえるべきかを、考えねばならない。

トランプを生んだ多様性

トランプ大統領は人種的偏見の強い人物だと言われる。確かに選挙運動中、しばしば黒人やヒスパニック、その他の人種や民族に対する差別的言動を行い問題にされた。二〇一七年の大統領就任後もイスラム教徒が多数を占める国からの入国を一時的に禁止するなど、特定の人種や宗教に属する外国人を対象とする政策を打ち出している。二〇一七年八月、ヴァージニア州シャーロッツビルで白人至上主義の団体と進歩派のグループが衝突し死者が出た事件では、白人至上主義者を擁護するような発言をして共和党内部からさえ批判を浴びた。人種や宗教だけでなく、女性や同性愛者などに関する問題発言も多い。

しかもトランプという人物は思ったことをすぐ口に出すという直情的傾向がある。嫌いなことは我慢できない。人から批判されからかわれるのに耐えられない。自分に反対し批判する人物に対して執拗で攻撃的な言動を見せる。賞賛され愛されるのが好きである。褒めてくれるなら白人でも黒人でも構わない。褒められないと怒る。

したがって相手が白人であっても同じ反応をする。トランプを非難しつづけた故ジョン・マッケイン上院議員に対しては、元共和党大統領候補でもあったこの議員の余命がいくばくもないとわかっていながら、執拗に個人攻撃を繰り返した。これに対してマッケイン議員も亡くなる直前までトランプ批判の手を緩めず、自分の葬儀にトランプ大統領を招くなという遺言を残して亡くなった。大勢の有力政治家や著名人が超党派で参列した国葬に準ずる葬儀が行われているあいだ、一人取り残されたトランプはゴルフ場でプレイしていた。三カ月後に死去したブッシュ第四一代大統領も生前トランプに批判的だったけれども葬儀には招くよう生前に指示し、大統領夫妻はカーター、クリントン、オバマ元大統領夫妻に並んでしおらしく葬儀に出席した。

トランプのこうした人種的偏見や排他的な行動は、どこまで彼の一貫した思想に基づくものなのだろうか。選挙期間中多数の顰蹙（ひんしゅく）を買った問題発言の多くには、大統領候補としての自分に全国的な注目を集める意図もあっただろう。しかし二〇一八年中間選挙の前には黒人の団体や個人と親しいところを見せつけた。単純に各州の知事選や議会選挙で共和党候補への票が欲しかっただけなのかもしれない。どちらが本当のトランプであるかは、よくわからない。あまり深く考えていないようにも見える。人種差別主義者で反移民主義者であるというが、現メラニア夫人は旧ユーゴスラビア、スロヴェニアの出身である。

ただ不幸なことに、彼の言動はアメリカ国民の一部に残る根強い人種的偏見をよみがえらせ、正当化する傾向がある。長い差別の歴史を乗り越えるためにアメリカは大きな努力を重ねてきた。しかし人の心のなかにある他人や他人種に対する偏見は、そう簡単に消えるものではない。法律でしばり、教育を尽くし、自制心を働かせても、何かがきっかけで再びふっと顔を出す。それはアメリカだけでなく、ヨーロッパ、中東、アフリカ、アジアでも見られる現象である。

トランプの扇動的な発言は、一部国民の心のなかにわだかまっていた偏見を表に出す口実を与えたように見える。時には排他的思想の持ち主を暴力に走らせる。特定の人種や宗教グループに対する無差別な殺人さえ起きた。もちろんこうした事件の背景は複雑であり、トランプ大統領の発言が直接のきっかけだとは断言できない。しかしトランプの言動の背景にアメリカ社会が多様性に対して再び非寛容になりつつある現実があるのであれば、問題の根は深い。

多様性のたそがれ？

本人の意図がなんであろうと、トランプのアメリカは多様性を弱めるのだろうか。国内で、また諸外国に対し、他者を拒絶する壁を設け経験の共有を妨げ分断を促進させるのだろうか。アメリカの統一と調和が徐々に失われ国としての勢いがなくなり、長期的には衰退につながるのだろうか。

歴史上、強大な帝国や国家がいくつも現れたが、衰退を免れたものは一つもない。ダビデやソロモンの王国、尭舜（ぎょうしゅん）、周公旦（しゅうこうたん）の治世も長くは続かなかった。ギリシャの民主制、ローマの共和制は繁栄し後世に大きな影響を与えたが、その輝きはいつしか失われた。比較的安定した立憲君主制を確立し長く栄光を維持した英国さえ、今はさまざまな問題を抱えながら徐々に老いている。アメリカ合衆国もまた盛りを過ぎたのかもしれない。

しかしアメリカというこの矛盾に満ちた国家が、その多様性を大きく失うとは考えにくい。多様性の是非をめぐる国内の対立ならびに外国、特に国境の南の国々との衝突は続くし、激化するかもしれない。それでもなんとか統一を保ちつつ今後も生きていくだろう。

第一に、アメリカはすでにあまりに多様であって今更後戻りはできまい。本書の第1章で述べたとおり、現在アメリカの総人口のうち白人が約七六・三パーセント、アフリカ系が約一三・四パーセント、アジア系が約五・九パーセントを占める。これとは別に自身をヒスパニック・ラティノ系ととらえる人が約一八・五パーセントを数え、最大のマイノリティになった。白人の割合は依然として高いけれども、白人というカテゴリー自体がきわめて多様になりつつある。アメリカ国民の主流を占めてきた北ヨーロッパ系、西ヨーロッパ系の人口は今後まちがいなく割合を減らす。二〇四四年にはヒスパニック系を除く白人がアメリカの少数民族になるという合衆国統計局の予測もある[4]。

トランプを支持する白人の多くは、さらなる多様化とグローバル化が自分たちの地歩を脅かすことを恐れている。しかしアメリカの多様性への流れを押しとどめることはできない。不法移民を送り返しても、近年合法的にアメリカへやってきて永住権・市民権を獲得した少数民族の人々は、子供を産み育てアメリカの教育を受けさせる。その子供たちが才能を発揮し社会的地位を高め、アメリカ社会にとって欠かせない人的資源となる。アメリカという国家はそうして発展してきた。これからもそうであろう。

国際連合経済社会局人口部の予測によれば、今から約三〇年後の二〇五〇年に世界約二〇〇カ国のなかで人口が最も多くなると予測される一〇の国家のうち、唯一の先進国がアメリカ合衆国である(第四位)[5]。しかも平均年齢は四〇歳強に止まり、先進国のなかで最も低い[6]。この見通しにはいろいろな前提と根拠があるが、欠かせないのが移民流入の継続と少数民族の比較的高い出生率維持だという[7]。トランプとその支持者たちも、そうした多様なアメリカで生きていかねばならない。移民の流入を止めれば、アメリカは国力を落とすだろう。

第二に逆説的かもしれないが、もしかするとトランプの大統領選挙当選を可能にしたのもアメリカの多様性である。トランプの支持者には四〇歳以上の白人、特に男性が多いと言われる。典型的なのは中西部のいわゆるラストベルトの工場や炭鉱などで、勤勉に働いて一家を支えてきた中卒、高卒のブルーカラー・ワーカーである。真面目に働ければそこそこの給料が支払われ家を買うことができ、引退すれば年金をもらえる。エリートにはなれないしなりたくもないが、それはそれなりに安定した幸福な生き方であった。

ところがグローバル化の進行、ITの発達、産業構造の変化などで安定した仕事を得るのが難しくなり、職があってもかつてのようには満足な収入が得られない。アメリカ経済の根幹を支えているという誇りも持てない。少数民族への手厚い保護、彼らの一部の目覚ましい活躍、女性の地位の向上や社会への進出、同性愛の肯定、極端なポリティカル・コレクトネスなどの進歩的な価値観は、彼らに強い違和感と不安感そして不満を与える。

しかも取り残されたこの人たちの声を聞いてくれる政治家がいない。マスコミを筆頭に東部のエリートたちは彼らを希望のない絶滅寸前の動物のように扱う。考え方や価値観が古くさくて反動的だと言って軽蔑する。行き場を失い、諦めて酒や麻薬に溺れる者も多い。過去一〇年ほどアメリカの中年白人男性の自殺が増え平均寿命が低下しているという。(8) この人たちは今後さらに歳を取り人口が減るばかりだ。人種は白人であるものの、将来への希望がないマイノリティ・グループの一つになってしまった。

そこに現れたのがトランプである。最初は泡沫候補だと思われたこのニューヨークのビジネスマンは、彼らの話を聞き彼らの立場を代弁し、彼らの応援を受けて前回の大統領選挙で勝った。既存政党の政治エリートを破って自分たちの大統領が実現した。その主張に賛成できるかどうかは別としてこの人たちがトランプ大統領の当選を実現したその過程は、これまで黒人、女性、同性愛者など多くのマイノリティ集団が目指し、戦い、実現してきた道と変わらない。トランプ支持者の達成感は、オバマ大統領が実現した時に多くの黒人が涙を流して喜んだのと対をなしている。両方とも我々もやればできるという、多様性社会アメリカの成功物語であった。

トランプ大統領の誕生がアメリカ社会の分極化を起こし、政治的対立を激化させているのは確かであろう。けれどもそれがアメリカのやや特殊な、ある種の危うささえはらむ、これまで顧みられなかったマイノリティ・グループの政治的勝利であると考えれば、アメリカの政治制度と社会システムの破壊、合衆国の分裂につながるとは一概に言えない。既存の制度と社会の仕組みがトランプの勝利を可能にしたのであれば、トランプの支持者がそれを破壊する理由はない。あくまでもその枠組みで戦う方が得である。その意味でアメリカの多様性を可能にするシステムは機能している。今後も機能するだろう。

この見方に対して、トランプはアメリカの多様性を利用して勝利を得たが、その結果進んだ極端な分極化は、結局アメリカの多様性を弱め、その活力を奪い、衰退に導く可能性がある。もしかするとそれは不可逆的な過程である。トランプ登場の危険性はまさにそこにあるのではないか。そう主張する人も多い。

確かに今日のアメリカでは政治、文化、価値観、宗教観、道徳観などの二極化が進んでいる。その背景にはアメリカ社会での多様性の進行があるけれども、多様性すなわち分極化ではない。なにがこの現象をもたらしたのかについてはいろいろな分析があり、原因は複雑である。マディソンの理論を当てはめれば、「大きな共和国」が求心性の強い二つの大きなブロックにさらに分かれたために、多様性が本来有する柔軟性、適応性が弱まった状態と考えられるかもしれない。

二極化は新しい現象ではない。南北戦争と国家の分裂をもたらした北部と南部の溝(みぞ)の拡大、一九世紀後半から二〇世紀初頭にかけての資本家と労働者の深刻な対立、人種差別撤廃をめぐる北部リベラル派と南部保守派の相互不信など、枚挙にいとまがない。ただ南北戦争を除いて、そのつどアメリカは分極化を乗り越え統一を維持してきた。その背景にはやはり、いろいろな見方と選択を可能にする多様性がある。

現在の分極化は今後もかなり長く続くであろうが、それを緩和し両者のあいだの溝を埋めうるのは結局のところアメリカの多様性ではないか。著者は希望的観測を交えてそう考える。

2　トランプを超えるもの

トランプの私

本書第3章と4章で、アメリカ人はみな基本的に個人主義者であり私の利益を追い求め勝手な言動が目立つけれども、その私的な利益追及がしばしば公的な利益をもたらすと述べた。このことはトランプ大統領にも当てはまるだろうか。

そもそもトランプという人は、一体なぜ二〇一六年の大統領選に出馬したのだろうか。よくわからない。既存の政党人でなくても大統領選挙に出馬した人物は、過去にもいた。テキサスの実業家出身で一九九二年の大統領選挙戦に出馬し、トランプと同様保護主義を標榜するかたわら財政均衡と銃規制反対を公約して一時かなりの支持を集めたリバタリアンのロス・ペローや、環境保護主義者として知られ第三党のグリーンパーティーから一九九六年と二〇〇〇年に出馬しそれなりの票を獲得したラルフ・ネーダーが思い浮かぶ。

アメリカの大統領選挙、特にその予備選挙にはある程度の資金を調達できれば基本的に誰でも候補者として参加できる。トランプ候補はそこで問題発言を連発して全国的注目を浴び、あれよあれよというあいだに共和党の指名を勝ち取り本選挙でも勝ってしまった。本人が驚いたという。メディアを毛嫌いするトランプだが、彼の大統領就任を可能にした要因の一つはメディアによる集中的報道である。メディアに感謝すべきだろう。

当選の理由についてはさまざまな分析があるけれども、とにかく大統領になりたいと思い共和党と合衆国憲法が定める手続きに従って予備選挙と本選挙に出馬し、選挙人の多数を獲得して大統領に就任した。それに尽きる。モラー特別検察官のロシアゲート疑惑調査報告書も、トランプがロシアと共謀して選挙に臨んだという証拠を示すに至らなかった。少なくともトランプはロシアの回し者ではない。あくまで自分の意思で戦い自分の力で勝った。

トランプを嫌いトランプを信用しない人たちは、この大統領がその地位を利用してひたすら私的利益を追求しアメリカの国益を損なうことを恐れる。実際に公私混同がたびたび問題となり、訴訟も起こされている。経営にはもはや直接携わっていないものの、結果的にトランプのビジネスは最高経営責任者が大統領になったことで多大な利益を得たとも言われる。

確かに一国の最高指導者が私的利益ばかり追求すれば、指導者の名に値しない。しかしそれはアメリカという国家に修復し難い損害を与えるのだろうか。それほど危険なのだろうか。必ずしもそうではないように思われる。

第一に、最高権力者が強いイデオロギーや宗教的信条の持ち主であり、それを貫徹することが国民にとって好ましく公の利益に資すると本人が確信している時ほど、国民にとって危険なことはない。ヒトラーのドイツ、スターリンのソ連、強大な軍部が支配していた日本、ポルポトのカンボジアなどでどれだけ弾圧が行われ戦争が起こり、人々の命が失われただろうか。

もちろん主観的には、トランプも自分が私的利益を優先して大統領の職務を遂行しているとは思っていないだろう。保護主義、反移民政策、国際的枠組みからの脱退、イラン制裁、中国との対決姿勢などはアメリカの利益になると信じているに違いあるまい。

しかしこの大統領が確固とした特定の信条を抱いているようには見えない。むしろ目立つことが好きで人々の賞賛を受けるのを何よりも愛するトランプにとって、大統領になった以上最大の目標は後世偉大な大統領として記憶されることのはずだ。そのためには二〇二〇年の大統領選挙に再び勝たねばならない。再選に資することならなんでもするだろう。

既述のとおり、人種差別主義者だと一部で言われるトランプが二〇一八年の中間選挙の前には黒人団体との友好をたびたび演出して見せた。今のところ一貫して保護主義、反移民の立場を取り、それが自分の支持層を固めると信じているようだが、その立場に固執しないほうが再選のチャンスを高めると判断すれば政策を変えるかもしれない。トランプは頑固かもしれないが、レーガン大統領とは違い信念の人ではない。

トランプの抑制

第二に、トランプが私的利益ばかりを追求し首尾一貫しない思いつきの政策を実施してアメリカに重大な損害をもたらす危険があるとしても、トランプの権力は無限ではない。大統領の権力は巨大だが、一部私企業のトップのようにほぼ何でも自分の意思どおりにできるわけではない。アメリカの大統領は存外行動をしばられている。トランプ大統領はそのことに苛立っているように見えるが、如何ともし難い。

現に選挙運動中に公約したオバマケアの廃止は予想以上に強い国民の反発に遭って実現していない。大統領は共和党が多数を占める数州が提起したオバマケアの合憲性を再び争う訴訟を支持しているが、最高裁の判決は二〇二〇年秋の大統領選挙の後二〇二一年の春までは下されない。就任直後に発したイスラム教徒が多数を占める七カ国からの入国禁止命令は、特定の人種や宗教を差別し違憲であるとしていくつかの訴訟が提起され、修正を余儀なくされた(9)。

メキシコ国境の壁建設も、トランプが要求する規模の予算を議会がつけようとしないため、思うように進んでいない。二〇一九年二月、大統領は国家緊急事態を宣言して国防費の一部を壁の建設に回すよう命令したものの、それでもなかなか予定どおりに進んでいないようだ。自国を通過してアメリカとの国境を目指す不法移民を十分取り締まろうとしないメキシコからの輸入産品に最大二五パーセントの追徴関税をかけるという政策は、共和党議員からの強い反対に遭って実現しなかった。もっともトランプはこの脅しが効いてメキシコがより厳しい不法移民対策に乗り出したのだと、自画自賛をしている。

どうしてこうなるかと言えば、アメリカ憲法が三権分立の仕組みを設けており大統領と議会がそれぞれ互いの独走を抑制しあうからである。中間選挙で民主党が下院の多数を取り返して以来、トランプは議会対策にこれまで以上に手こずってきた。このため共和党が多数を占める連邦議会上院では有罪を免れたけれども、下院による訴追を受けて弾劾裁判にかけられたアメリカ史上三人目の大統領になった。またアメリカでは憲法上各州の独立性が高い。トランプ政権は州の抵抗にも対処せねばならない。トランプの採用した政策に対する訴訟の多くは、州の司法長官が提起したものである。

ちなみに大胆な減税や保守系最高裁新判事三名の任命など、トランプが実現したいくつかの政策は議会の同意を得ている。もちろん多くの場合野党である民主党の議員が反対したけれども、同意を拒否するには至らなかった。しかも大統領が単独で実行している中国に対する強硬な対決姿勢、日本とNATO加盟各国に対する同盟国としての防衛費負担増額の要求、より厳しい移民政策などは、実は党派に関係なく多くのアメリカ国民が望んできたことでもある。保護主義的な通商政策は、もともと民主党の支持母体の一つである組合が強く求めてきた。議会や国民多数の支持が得られればより多くの政策を実行できるという現実は、トランプ大統領にとっても変わらない。

世論調査によれば就任以来一度も国民の半数以上の支持を獲得していないこの大統領は、史上最も不人気な大統領の一人である(10)。熱烈な支持者が多数いる一方で、トランプが嫌いだ、あいつだけは許せないと考える人がこれほど多いのは、トランプが勝手なことをしないように全力を尽くそうという動機が国中に満ちている証拠である。この動機の強さは必然的にトランプの手をしばるだろう。

この大統領はこれからも国の内外で攻撃的で問題の多い政策を実行しようとするだろう。しかしそれではトランプのわがまま、トランプの勝手、トランプの私欲、権力欲がこの国の民主主義に取り返しのつかない損害を与え、その結果アメリカが独裁体制に転換するかと言えば、その可能性は小さいと思われる。

トランプが議会や司法を完全に無視する独裁者になる可能性はあるかと彼が嫌いな友人や知人に尋ねると、いやそれはないという答えが当然のように返ってきた。なぜかと聞いても明確な答えはない。彼らは無意識のうちに、アメリカの伝統や憲法のシステムの下でそれは不可能だと信じている。

南北戦争の開戦直前に就任式で演説したリンカーン新大統領は、次々と連邦から脱退する南部諸州に残留を呼びかけて次のように述べた。

「この国の政府の仕組みによれば、人々は賢明にもごくわずかな権限しか公務員に信託しておらず、彼らが害をなすのは難しい。しかも同じ賢さでそのわずかな権限さえ短い任期が終わるたびに返さねばならないと定めた。人々が強い意志をつらぬき細心の注意を払いつづければ、極端な悪意と愚行をもってしても、わずか四年のあいだに時の政権がこの国の統治の仕組みを取り返しがつかないほど損なうことはできない(11)」。

トランプ大統領がわがままで勝手で私的利益を追求し、一部国民の支持を求めて間違った政策を実行すると仮定しても、彼がアメリカの国の仕組みを根本的に壊すようなことはない。アメリカの友人たちは本気で心配するけれども、著者は再度希望的観測を交えてそう考える。

トランプの自由、平等、そして憲法

トランプ大統領に反発しその政策に反対する人々は、この大統領が自由と平等という建国の理念を軽んじていると感じる。また長年にわたって築き上げてきた自由・平等の権利を尊重せず憲法を自分に都合よく解釈して民主主義と立憲主義を破壊する、あるいは弱体化させるのではないかと危惧する。そうした傾向は確かにあるように思うが、すでに述べたとおりアメリカの理念が失われ民主主義と立憲主義が変質し、強権的で全体主義的な体制に取って代わられる危険性が高いとは、著者には思えない。

少し見方を変えればトランプ大統領とその支持者たちもまた、自由と平等、特に平等というアメリカの建国以来の理念が無視されているという自分たちなりの理解に基づく不満を共有している。中年期に達し程なく老年期に入ろうとするラストベルトの白人労働者たちは、アメリカ社会のなかで平等な扱いを受けていないと感じている。戦乱や迫害を逃れてアメリカへ渡り成功した外国出身者にとって、アメリカは自由の国、夢が実現する国かもしれない。しかしどこへも逃れるところがない自分たちには、新しい新天地を目指す自由と余裕がないし、それを可能にする平等な処遇もない。そう思う。

あるいは思いこんでいる。

こうしたやり場のない彼らの不満と言い分を大統領として初めて実行に移したのもトランプであった。ラストベルトの白人労働者を筆頭に、現在のアメリカ社会のあり方に大きな不満をもつ人々は、それまでの政治家とは異なるトランプを自分たちの大統領として支持しつづけた。

このように考えれば、一九世紀の三〇年代までに新天地での成功を夢みながら東海岸からアパラチア山系の西側へ移住し、より平等な政治参加の機会を求めてジャクソン大統領当選を実現したいわゆるジャクソニアン・デモクラットたち。一八八〇年代以降、農産物価格の低下により貧窮化し既存の政党政治家に幻滅して、銀本位制を主張するウィリアム・ジェニングズ・ブライアンを人民党（ポピュリスト）のちに民主党の大統領候補として支持した、いわゆるグランジ運動の中核をなす中西部、南西部の農民たち。二〇世紀半ば、南部で続く黒人差別の撤廃によって真に平等で自由な社会を実現し自分たちの生活を少しでもよくしようと、マーティン・ルーサー・キング牧師のもとで公民権運動を推し進めた黒人たち。さらにヒスパニック系、アジア系、その他のおくれて来た少数民族出身者たち。トランプを支持する人々とその主張には、アメリカ史を通じて入れ替わり登場したこのような民衆運動との共通点がある。

ただし支持者の声を受けてトランプ大統領が提案し実行を試みた関税率引き上げ、移民制限など一連の内向きの政策は、長い目で見て彼ら自身に利益をもたらさないだろう。ヨーロッパやその他の地域で勢いを増しつつある排外的で過激なポピュリスト同様、この人たちには自分たちが直面する問題が外国人の排斥、外国製品の締め出し、国際的合意の反古といった手段によって解決しうると思いこむ、短絡性、頑固さ、乱暴さがある。彼らが嫌う専門家の説明は聴こうとしない。

したがってアメリカ社会の分極化はこれからも続くし、より激しくなるだろう。トランプの支持者たちが自分たちの大統領選出に満足し、四、五年という短期間で穏健になるとは思えない。トランプがいなくなっても彼らの主張を汲む政治家がまた出現するであろう。二〇一六年の大統領選挙でこうした不満をトランプ以外でもっとも真剣に受け止め旧来の政治家に対抗して支持者を集めたのは、皮肉なことにトランプとは対極的な位置にある民主党のサンダース候補であった。サンダースが大統領になってもアメリカは内向きになり自己本位になり、経済面でも安全保障面でも世界に影響を与えただろう。両者に共通するのは支持者のやり場のない怒りを代弁している点である。

トランプの支持者たちは自分たちが信じる自由と平等の実現を国内問題に関して主張すると同時に、通商や安全保障の分野でも彼らの目から見てより平等な外国との関係を求め、あらゆる手段を使って実現させようとしている。彼らの主張を代弁してトランプ大統領は就任演説で、

「何十年ものあいだ、我々はアメリカの産業を犠牲にして外国の産業を富ませてきた。他国の軍隊に補助を与えてアメリカ軍の力が失われるのを放置してきた。他国の国境を守りながら自分たちの国境は守ろうとしなかった。外国で何千億ドルを費やしているうちにアメリカのインフラが崩壊してしまった。他国を富ませているうちに我が国の富、力、自信が失われた(12)」。

と、外国への不満、これまでそれを許した歴代政権の政策への不満を列挙している。その上でこれからはアメリカ第一主義をとり、あらゆる手段で対抗すると約束した。ここにも不満と怒りがあふれている。

対中貿易戦争や日本への貿易収支改善の要求は、こうした強い感情から生まれている。しかも国内ではまだトランプの乱暴な政策に対してある程度抑制が働くが、対外政策はほとんど大統領の一存で決まる。専門家の意見をあまり尊重せず熟考の上で決断を下すとは必ずしも思えないこの大統領が、思わぬ失敗をおかす可能性は少なからずあった。いや既におかしているかもしれない。

このように大統領としてのトランプは数々の問題をはらんでいるが、それでもなおトランプのアメリカがヒトラー治下のドイツのような全体主義に走るとは考えにくいのは、そうした傾向がこの国に存在しないからではない。むしろアメリカの多様性ゆえであり、権威や全体の意思におもねらないアメリカ人の個人主義のためであり、あるべき自由と平等の姿について各自がそれぞれ異なる見解を持ち互いに譲らないからである。逆説的に言えばアメリカ人が万が一全体主義を試みても、おそらくうまくいかないだろう。大政翼賛会のようなものはできそうもない。

そして何よりも、そうしたこの国の特徴を織りこんだ憲法の仕組みが機能している。アメリカの憲法は優れた大統領や議員の選出を保証せず、時々トランプのような変人でさえ大統領に選ぶことを可能にしている。しかし同時にそのような大統領の力を抑制し最終的にはノーを突きつけることを可能にして、最悪の事態を防ぐ。もちろん憲法が期待どおりに機能するかどうか最終的な保証はない。憲法学者の私の友人のなかには、悲観的になりつつある者もいる。憲法への過大な期待は禁物である。けれどもアメリカ憲法の歴史を見る限り、アメリカの国のかたちは依然としてかつてリンカーン大統領が述べた「最後の、そして最善の希望」であるように思われるのである。

トクヴィルは『アメリカのデモクラシー第一巻』の序文で、「私はアメリカの中にアメリカを超えるものを見た」と述べた。また、「（諸党派）が明日のことにかまけるのに対して、私は思いを未来に馳せたかったのである」と記した。我々もまた「トランプのなかにトランプを超えるもの」を見出したい。今日のトランプ、明日のトランプに右往左往するのではなく、建国以来続いてきたアメリカの歴史を踏まえつつ、未来のアメリカに思いを馳せ、我々自身の将来を考えたい。そして同時に「どの時代に生きたとしても私は自由を愛しただろう。だがいまこの時代には、私は喜んで自由を崇拝する」というフリードリヒ・ハイエクが自著『隷従への道』に引用したトクヴィルのことば（ハイエク 二〇一六）を、肝に銘じたいと思う。

註

（１）『旧約聖書詩編』第一三三篇一節

（２）トランプ大統領就任演説、https://www.whitehouse.gov/briefings-statements/the-inaugural-address/

（３）同上。

（４）Projecting Majority-Minority, Non-Hispanic Whites May No Longer Comprise Over 50 Percent of the U.S.

Population by 2044, https://www.census.gov/content/dam/Census/newsroom/releases/2015/cb15-tps16_graphic.pdf.

（5） World Population Prospects 2019『世界人口推計二〇一九年版 Data Booklet データブックレット』https://www.unic.or.jp/files/15fad536140e6cf1a70731746957792b.pdf

（6） Rakesh Kochhar, 10 projections for the global population in 2050, Pew Research Center, https://www.pewresearch.org/fact-tank/2014/02/03/10-projections-for-the-global-population-in-2050/

（7） An Aging Nation: The Older Population in the United States, Population Estimates and Projections, Current Population Reports, By Jennifer M. Ortman, Victoria A. Velkoff, and Howard Hogan, https://time.com/wp-content/uploads/2015/01/p25-1140.pdf

（8） CDC Centers for Disease Control and Prevention, "WISQARS Fatal Iujury Reports", https://webappa.cdc.gov/Sasweb/ncipc/mortrate.html

（9） 合衆国最高裁判所は二〇一八年六月に、五対四の僅差で修正された行政命令を合憲とする判決を下した。*Trump v. Hawaii*, 585 U.S. ___ (2018)

（10） Gallup News, Trump Job Approval, https://news.gallup.com/poll/203207/trump-job-approval.aspx を参照。

（11） リンカーン大統領第一期就任演説、https://avalon.law.yale.edu/19th_century/lincoln1.asp

（12） 前掲「トランプ大統領就任演説」、https://www.whitehouse.gov/briefings-statements/the-inaugural-address/

参考文献

朝河貫一『日本の禍機』講談社学術文庫、一九八七年。

阿川尚之「アメリカ合衆国憲法に見る公と私、官と民」猪木武徳、マルクス・リュッターマン編『近代日本と公と私、官と民』NTT出版、二〇一四年所収。

内村鑑三（鈴木範久訳）『余はいかにしてキリスト信徒となりしか』岩波文庫、二〇一七年。

岡崎久彦『陸奥宗光とその時代』PHP研究所、一九九九年。

小田実『何でも見てやろう』講談社文庫、一九七九年。

片山潜『渡米案内』『日系移民資料集第1期　北米編　第5巻』日本図書センター、一九九一年所収。

『島津家國事鞅掌史料（薩摩藩取調記録）』川澄哲夫編著『中浜万次郎集成（増補改訂版）』小学館、二〇〇一年所収。

桐島洋子『淋しいアメリカ人』文藝春秋社、一九七一年。

高坂正堯『不思議の日米関係史』PHP研究所、一九九六年。

谷譲次1『めりけんじゃっぷ商売往来』現代教養文庫、一九七五年。

谷譲次2『テキサス無宿』「俎上亜米利加漫筆」現代教養文庫、一九七五年。

トクヴィル、アレクシ・ド（松本礼二訳）1『アメリカのデモクラシー　第一巻（上）』岩波文庫、二〇〇五年。

トクヴィル、アレクシ・ド（松本礼二訳）2『アメリカのデモクラシー　第一巻（下）』岩波文庫、二〇〇五年。

トクヴィル、アレクシ・ド（松本礼二訳）3『アメリカのデモクラシー　第二巻（上）』岩波文庫、二〇〇八年。

トクヴィル、アレクシ・ド（松本礼二訳）4『アメリカのデモクラシー　第二巻（下）』岩波文庫、二〇〇八年。

夏目漱石『草枕』新潮文庫、二〇〇五年。

新渡戸稲造「帰雁の蘆」『新渡戸稲造全集第六巻』教文館、一九六九年所収。

浜田彦蔵『アメリカ彦蔵自伝』東洋文庫　平凡社、一九六四年。

ハイエク、フリードリヒ（村井章子訳）『隷従への道』日系BP社、二〇一六年。

ハミルトン、A・ジェイ、J・マディソン、J（斎藤 眞・中野勝郎訳）『ザ・フェデラリスト』岩波文庫、一九九九年。

福澤諭吉1『西洋事情』『福澤諭吉著作集第1巻』慶應義塾大学出版会、二〇〇二年所収。

福澤諭吉2『学問のすゝめ』『福澤諭吉著作集第3巻』慶應義塾大学出版会、二〇〇二年所収。

福澤諭吉3「富貴功名は親譲りの國に限らず［漫言］」『福澤諭吉全集第九巻（時事新報論集二）』岩波書店、一九七〇年所収。

本間長世『理念の共和国――アメリカ思想の潮流』中公叢書、一九七六年。

本井康博『新島襄と建学精神』同志社大学出版部、二〇〇五年。

安岡章太郎『アメリカ感情旅行』岩波新書、一九六二年。

山岸俊男『安心社会から信頼社会へ』中公新書、一九九九年。

山崎正和『このアメリカ』『山崎正和著作集九』中央公論社、一九八二年所収。

Daniel J. Boorstin 1, *The Americans: The Colonial Experiences*, Random House, Inc., 1958.
Daniel J. Boorstin 2, *The Americans: The National Experiences*, Random House, Inc., 1965.
Daniel J. Boorstin 3, *The Americans: The Democratic Experiences*, Random House, Inc., 1974.
George Wilson Pierson, *Tocqueville in America*, The Johns Hopkins University Press, 1996.
William Saroyan, "Seventy Thousand Assyrians," in *The William Saroyan Reader*, Barricade Books, Inc., 1994.
Amy Tan, "Mother Tongue," reprinted in *The Short Prose Reader*, McGraw Hill, Inc., 1994.

あとがき

本書の内容はもう古い。読者の一部はそう感じたかもしれない。書いてあることは、植民地時代から一八世紀後半の合衆国建国を経て、ドナルド・トランプが大統領をつとめた四年間のアメリカ、それも最終章を除いてはトランプ以前のアメリカについてである。二〇二〇年一一月の大統領選挙の経過と民主党ジョー・バイデン候補の勝利には言及がない。新型コロナウィルス感染症の世界的流行とアメリカへの伝播にも触れていない。

それではなぜ今この本を出版するのか。それは著者である私が、トランプ以前のアメリカについての観察と分析を中心とする本書の内容は古くないし、これからも古くならないと考えるからである。

本書の構想は二〇一五年の秋にさかのぼる。東京で開かれたある会合でミネルヴァ書房の堀川健太郎さんの隣に座り、ことばを交わした。ところがそのあと用があって先に辞去した私は、机の上にアラームクロックを置き忘れてしまった。初対面の堀川さんは京都に戻ってからわざわざこの忘れ物を郵送してくれた。

こうして縁ができた堀川さんから一度会いたいとの連絡をもらい、次に京都へ出かけたとき一緒に食事をした。その際、同書房本社で定期的に開く「究」セミナーでアメリカについて講演しないか、講演の録音を手直しして本にする、というありがたい提案をもらった。他の学者数人がすでに話をして、内容が本になっているとのこと。

当時ミネルヴァのPR誌『究』の編集顧問、元中央公論本誌編集長の宮一穂さんが同席していたのだが、そのとき横から口を挟んだ。「君、早い方がいい、来年の一月、二月、三月の三回京都へ来て話せ」と言われる。中公編集長時代以来お世話になり頭の上がらない宮さんのご命令である。「四月に慶應義塾大学から同志社大学へ移籍するので何かと慌ただしい、ついては五月以降にしてほしい」との私の希望は即座に却下され、年が明けると寒い京都に東京から三回やってきて話をした。それが本書誕生のきっかけになり、堀川さんに引きつづき本書の編集担当をつとめていただいて、ひとかたならぬお世話になった。

二〇一六年の春といえば、大統領選挙の予備選が次第に活況を呈しはじめた時期である。ダークホースとして出馬して快走し、共和党の候補指名を狙うトランプ候補の話題で、アメリカも日本も持ちきりであった。講演では時節柄この人物について話さねばなるまい。しかしトランプという人物について詳しく知っている現代アメリカの研究者は、その頃日本にほとんどいなかった。いわゆるトランプ現象が一時的なものなのか、それともより深い背景があるのか、私をふくめ大多数の人がわかっていなかった。

政治学者でない私にアメリカ政治の現状を分析し解説する能力はない。そこで大統領選挙の展望や予測ではなく、これまでのアメリカ政治の常識に反するトランプ候補が一部で強い支持を得ている現象を、歴史や憲法の観点から考えて話をしたい。この提案が受け入れられて、「アメリカはおもしろい、深い」という題で話した。

本書の基本テーマはこの講演の内容から、それほど大きく変わっていない。トランプのような人物が突然政治に参画して注目を浴びることは、アメリカ史上何度かあり、国民のあいだで時に激しい対立を生んだ。そもそも植民地時代以来、アメリカには数々の矛盾や対立が存在する。それが昂じて内戦に至ったことさえある。しかしそうした矛盾や対立そのものが、アメリカとその国民に活気を与え、一部のグループによる致命的な失敗や圧政を防いできたのではないか。本書は私のこうした仮説に基づいている。

ただテーマが決まっても、講演を終えてから本が出るまでに結局足かけ五年かかった。色々理由はあるが、アメリカの政治状況があまりにも目まぐるしく変わったのも、その一因である。大方の予想に反しトランプ候補は二〇一六年の選挙に勝利して大統領に就任し、アメリカ内外を驚かせ騒がせる政策を連発した。一度弾劾されたにもかかわらず四年間大統領の座に留まった。

一体これは何なのかと考えながら他の仕事をしているうちに、思わず時が経った。そのあいだ、二〇二〇年初頭に新型コロナウィルスがアメリカに上陸して猛威を振るいはじめた。その年の大統領選挙は再選を目指す共和党のトランプ大統領と民主党のバイデン元副大統領の一騎打ちになり、一一月の一般投票でバイデン候補が勝利をほぼ確実にした。よほどのことがない限り、本書が世に出る時期と重なる二〇二一年一月二〇日にはバイデン候補が新しい大統領に就任し、トランプ現職大統領はホワイトハウスを去る。

実は私が本書の原稿を完成させたのは、コロナウィルスの大流行が始まった時期と重なる二〇二〇年の二月であった。刻々と変化する情勢、特にコロナと大統領選挙について書き加えるかどうかしばらく考えたが、結局やめた。一〇月末の最高裁判所新判事任命など、事実の記述修正がどうしても必要であったいくつかの例外を除き、コロナ以前に書いた内容はあえて変えていない。

そんなわけで本書に記したのは、今現在アメリカで起きていることではない。しかし新しい出来事は次々に起こり、いくら本に書いても情報はまたすぐに古くなる。世の中にはその類の本が無数に出回っているが、そうした本の多くは現在の状況を表面的に見るだけで、「アメリカはこうだ」と断言しがちだ。その度に私は、これほど多様で異なる価値観を持つ人々から構成されるこの国で、一体それは「どのアメリカ?」と尋ねたく思う。その思いをこめ、先般亡くなった山崎正和氏の名著『このアメリカ』からヒントを得たこのことばを本書のタイトルにした。

もちろん多くの研究者がアメリカで今大きな変化が起きていると指摘する。そのとおりだと思う。しかしその底流を理解するには、植民地時代以来人々が培ってきたこの国と国民の特徴や伝統、思考の傾向をまず知らねばならない。新しい事象の背景にはアメリカをアメリカたらしめている、変わらないアメリカがある。そうしたアメリカを描くことにも意味があるはずだ。その意味で本書は、日本にも大きな影響を与えつづけるこの国で現在起こりつつある大きな変動を、より深く理解する一助になると信じる。

新しい大統領の就任後、アメリカはどこへ行くのだろう。もちろんバイデン候補の支持者は、魔女を倒して春を呼び戻した童話『ナルニア国物語』の主人公たちのように喜んでいる。しかし選挙人獲得総数で七〇票の差をつけられたものの、一般票の獲得総数ではバイデンの約八〇〇〇万に対しトランプは約七四〇〇万票と、肉薄している。バイデンはトランプに勝ったが、地滑り的勝利をかちとるほどの力があったわけではない。新政権の発足後、トランプに票を投じた人たちがどこかへ行ってしまうわけでもない。連邦議会での民主党と共和党の力関係や民主党内の左派と中道派の対立、さらにはコロナ、経済、外交、安全保障といった困難な問題の行方を考えると、バイデン新大統領の政策が今後それほどスムーズに進むとは思えない。

アメリカの分断、二極化は、さらに激しくなるだろう。見通しは決して明るくない。冬が続く。しかしそれでもアメリカは建国以来の国のかたちを保ち、憲法の枠組みの中でやっていくはずだ。なかなかうまく行かなくても、この国が独裁体制に移行したり、全体主義国家に転換したりする可能性はほぼない。

本書でたびたび指摘したとおり、アメリカには多様性と統一性、公と私、自由と平等といった異なる価値観とそれゆえの矛盾と対立が多数ある。しかしそれを乗り越えて民主主義、法治主義を維持しようとするエネルギーは失われていない。今回の大統領選挙で印象的であったのは、期日前投票を行うため投票所を訪れ何時間も並んで待つ人が、報道によれば一億人を超えたことである。政治的な考え方には国民のあいだで大きな相違があるけれども、それを暴力や超法規的手段に訴えようとはせず、憲法や法律上の手続きに従って自分の望む変化をもたらす、もたらせるはずだという一種の楽観主義と確信が、深まる分断、山積みする問題にもかかわらず、この国には依然として存在する。

四年ごとに新しい大統領が就任する際、演説をするのが建国以来のこの国の慣習である。そのなかには困難な時代にあって国民に勇気を与えた名演説も多い。リンカーン大統領は一八六一年、内戦の可能性が高まるなかで行った第一期の就任演説で、こう述べた。

「我々(北部人と南部人)は互いの敵ではなく友である。敵であってはならない。高ぶった感情が関係をこじらせたかもしれないが、我らのあいだに存在する友愛のきずなが損なわれてはならない。我々一人一人の心の奥に存在する善くあらんとする本能が、この広大な国のあらゆる所に存在する、古戦場と愛国者の墓から今生きる我らの心につながる神秘的な共通の記憶の琴線に再び触れるとき、祖国は一つだと、我らは再び高らかに声を合わせて歌うはずだ」。

あるいは二〇〇一年、ブッシュ(息子)大統領は就任演説で次のように述べた。

「我々はすべて、長い物語の中でそれぞれ役目を与えられ、その結末を知ることはできない。(中略)欠点を有し、間違いを犯す、しかし偉大で永続的な理想のもとに世代を超えて一つになった

人々の物語である。(中略)

我らはこの物語の作者ではない。(中略)しかし目的を実現するのは我らの義務であり、我らが互いに尽くし合うことで義務を果たす。(中略)仕事は終わらない。物語は続く」。

さらに二〇〇九年、オバマ大統領は就任演説で、アメリカ独立戦争の際イギリス軍から逃れつづけ敗北寸前に追い込まれた革命軍の司令官ジョージ・ワシントンのことに触れた。

「革命の成功がもっとも危うかったときに、合衆国の父は次のような言葉を全ての人々に読みあげるように命令した。

『将来、世界に伝えよ。寒さが最も厳しい今、希望と勇気以外何も残されていないにもかかわらず、共通の危機に直面して、町の住民も田舎の人たちも一つになって戦う覚悟を固めたと』

アメリカ国民諸君、我ら共通の危機にあって、我々自身が困難を抱えるこの冬に、この永遠のことばを思い起こそう」。

こう語った三人の大統領は、それぞれの理想と希望を結局実現できなかった。南北の融和を説いたリンカーンは、間もなく始まった内戦の最高指揮官としての役目を果たし、一説には七〇万を超える兵士が死んだ。ブッシュ大統領は就任演説から八カ月後に9・11同時多発テロ攻撃を受け、アフガニスタンとイラクでの戦争という予想外の物語を綴らねばならなかった。人種間の融合を説いてリーマンショック発生後に就任したオバマ大統領は、国民の大きな期待を受けながら結局満足な成果を出せずに終わった。

それでもなお、四年、あるいは八年ごとに、新しい大統領が就任式でアメリカの理想を語る。二〇二一年一月二〇日、バイデン新大統領も就任式で演説を行う。そこで彼が何を語るのか。その多くは簡単に実現しないだろうし、人々の不満と不平は募るだろう。それでもなお、これだけ多様で価値観の異なる国民が、互いにいがみ合う人々の多くが、熱烈な思いで、あるいは半信半疑で、新大統領に希望を託す。それが矛盾と均衡の国アメリカである。物語は続く。

二〇二〇年一二月初旬

本書完成を可能にしてくれた全ての人への感謝をこめ、北山を望む同志社大学の自室にて

阿川尚之

六五頁
THE DANGLING CONVERSATION
Words & Music by Paul Simon
©Copyright 1966 by PAUL SIMON MUSIC, New York, N.Y., U.S.A.
All Rights Reserved. International Copyright Secured.
Print rights for Japan controlled by Shinko Music Entertainment Co., Ltd.
Authorized for sale in Japan only

八七頁
OLD FRIENDS
Words & Music by Paul Simon
Copyright ©1968 Paul Simon (BMI)
International Copyright Secured. All Rights Reserved.
Print rights for Japan controlled by Shinko Music Entertainment Co., Ltd.
Authorized for sale in Japan only

一〇七頁
BORN FREE
John Barry / Don Black
©1966 Sony/ATV Songs LLC.
The rights for Japan licensed to Sony Music Publishing (Japan) Inc.

一三三頁
I'M A LOSER

一六三頁

二一五頁

人名索引

あ　行

か　行

さ　行

た　行

な 行

は 行

ま 行

や 行

ら・わ行

事項索引

あ 行

か　行

さ　行

た 行

な　行

は　行

ま　行

や　行

ら　行

わ　行

欧　文

《著者紹介》

阿川尚之（あがわ・なおゆき）

1951年 生まれ。

慶應義塾大学法学部中退，ジョージタウン大学スクール・オブ・フォーリン・サーヴィスならびにロースクール卒業。

ソニー，米国法律事務所勤務等を経て，慶應義塾大学総合政策学部教授。

2002年から2005年まで在米日本国大使館公使。

現　在　慶應義塾大学名誉教授，同志社大学法学部前特別客員教授。

主　著『アメリカが嫌いですか』新潮社，1993年，新潮文庫，1996年。

『海の友情――米国海軍と海上自衛隊』中公新書，2001年。

『憲法で読むアメリカ史』PHP 新書（上・下），2004年，ちくま学芸文庫，2013年（読売・吉野作造賞受賞）。

『憲法改正とは何か――アメリカ改憲史から考える』新潮選書，2016年。

『憲法で読むアメリカ現代史』NTT 出版，2017年，ほか。

セミナー・知を究める④
どのアメリカ？
――矛盾と均衡の大国――

2021年５月30日　初版第１刷発行　〈検印省略〉

定価はカバーに
表示しています

著　者　阿　川　尚　之
発行者　杉　田　啓　三
印刷者　田　中　雅　博

発行所　株式会社　ミネルヴァ書房
607－8494　京都市山科区日ノ岡堤谷町１
電話代表（075）581－5191
振替口座 01020－0－8076

創栄図書印刷・新生製本

ISBN978-4-623-09072-3
Printed in Japan